LE Dragon INTÉRIEUR

Araya AnRa

LE *Dragon* INTÉRIEUR

Araya AnRa

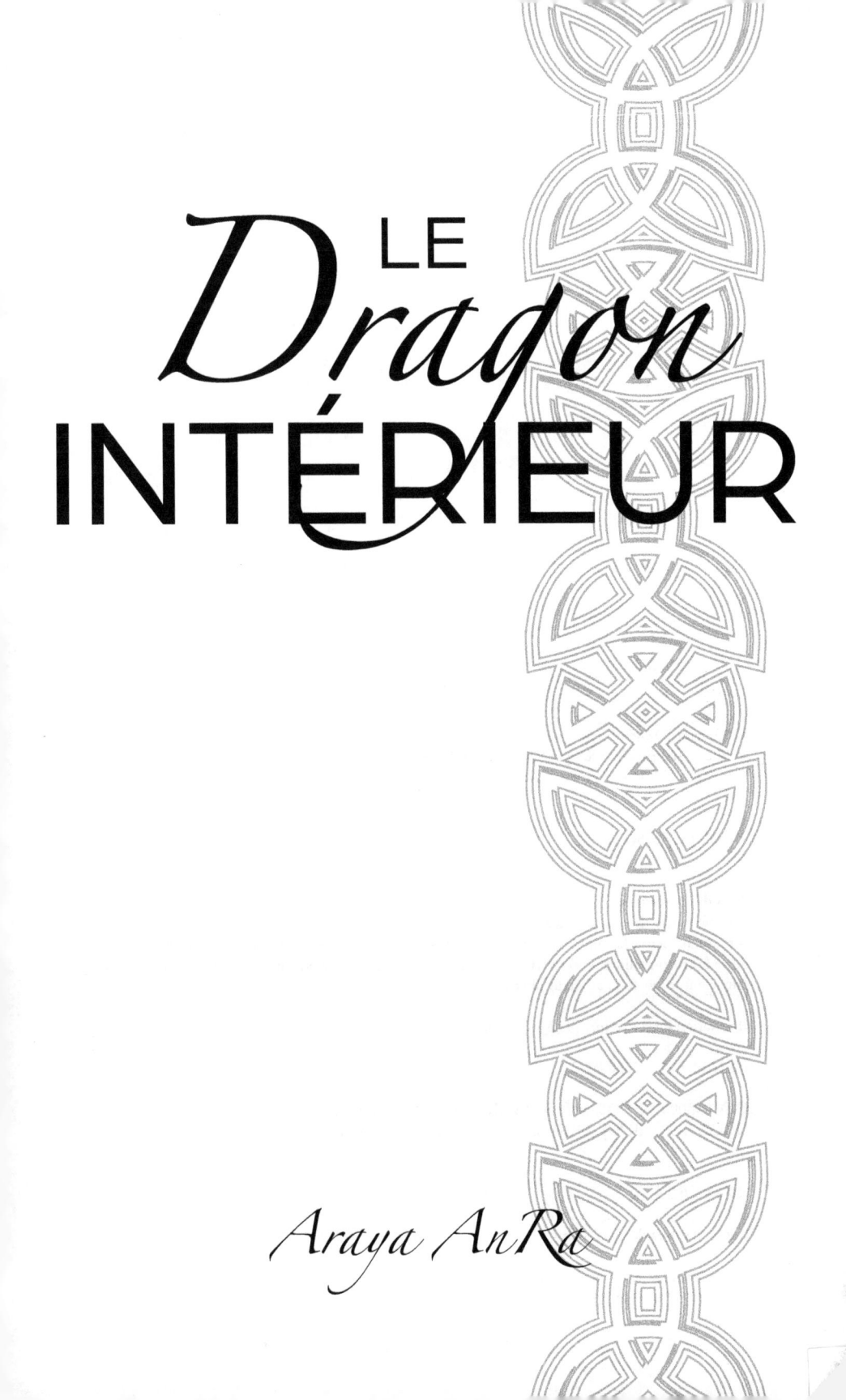

Le Dragon Intérieur
Publié en français en 2009 par Silver Lining Wisdom
Copyright © 2008 à Araya et Silver Lining Wisdom

Traduit par Rachel Métral

Tous droits réservés.
Aucune partie de cette publication ne peut être reproduite, enregistrée, ou transmise, sous aucune forme et d'aucune façon, sans l'accord préalable écrit de l'auteur, ni être mis en circulation sous aucune autre forme ou reliure ou couverture que celle dans laquelle elle a été publiée et sans condition similaire étant imposée à l'acheteur ultérieu.

Illustration de couverture par Mary Angela Brown

ISBN 13: 978-1-7330983-3-5

OCC033000   BODY, MIND & SPIRIT / Gaia & Earth Energies
OCC011000   BODY, MIND & SPIRIT / Healing / General

10 9 8 7 6 5 4 3 2 1

Imprimé sur papier sans acide

Email: araya@dragonwithin.com
Website: www.dragonwithin.com

Table Des Matières

AVANT-PROPOS IX
INTRODUCTION 1

L'aspect Humain 9

LA CONNEXION ENTRE LE CORPS HUMAIN (ADN), LE CORPS DE LUMIÈRE (L'ÂME) ET GAÏA (LA NATURE) 11

LES VOIES INTÉRIEURES DU CORPS 14

DRAGONS DE LA GROTTE SACRÉE / DRAGONS DU HARA 18

ISHTAR ET LE DRAGON DU HARA: COMPRENDRE LE POUVOIR QU'ILS DÉTIENNENT 21

LES DRAGONS GARDIENS ET LES DRAGONS DU COEUR 22

LES ENFANTS ET LE RETOUR DE L'ARMÉE DES DRAGONS 25

TABLES DES MATIÈRES

L'aspect du Dragon 29

LA GÉOMÉTRIE DES ÉNERGIES DES DRAGONS : COMMENT NOUS RECEVONS L'ÉNERGIE SUR TERRE..31

LA GÉOMÉTRIE DES ÉNERGIES DES DRAGONS..34

LES DRAGONS DE MU 37

LES DRAGONS ELÉMENTAUX 41
- LE DRAGON DE LA TERRE......................... 44
- LE DRAGON DE L'AIR...............................48
- LE DRAGON DU FEU 50
- LE DRAGON DE L'EAU 54

LES DRAGONS INTERGALACTIQUES DE LA LUMIÈRE 58
- LE DRAGON NOIR.....................................60
- LE DRAGON BLANC...................................63
- FUSION DU DRAGON NOIR AVEC LE DRAGON BLANC 65
- LE DRAGON DE CRISTAL 67

LES NIVEAUX PLUS PROFONDS DU TRAVAIL AVEC LES DRAGONS 71
- TRAVAILLER AVEC PLUSIEURS DRAGONS À LA FOIS 71
- EQUILIBRE EAU / FEU – TERRE / AIR 71
- LES DRAGONS DE CRISTAL ET DU FEU 73
- LES DRAGONS D'ARGENT ET DE L'EAU - UN CHANT GUÉRISSEUR DE LA PRÉSENCE DU COEUR.........74
- LA DANSE ET LA SEXUALITÉ - UNE PART IMPORTANTE DU TRAVAIL AVEC LE DRAGON 75

TABLES DES MATIÈRES

LES DRAGONS INTERDIMENSIONNELS D'ORION ... 79
- LA GROTTE SACRÉE GALACTIQUE ... 79
- LE DRAGON D'OR ... 81
- LE DRAGON D'ARGENT ... 84
- LE DRAGON DE CUIVRE ... 86

LES DRAGONS INTERDIMENSIONNELS DE SIRIUS ... 89
- L'ESPRIT GALACTIQUE ... 89
- LE DRAGON DE SIRIUS A: MAY-ER-KHAN ... 91
- LE DRAGON DE SIRIUS B: AMER-KHAN ... 93
- LE DRAGON DE SIRIUS C: ASH-ER-KHAN ... 95

LES DRAGONS PRIMORDIAUX DE LA TERRE: ... 99
- TIAMAT ET LA TRINITÉ DE TIAMAT ... 99
- TIANNOU ... 101
- BARAHA ... 103
- LES DRAGONS DE RUBIS, SAPHIR ET D'EMERAUDE DU MILIEU DE LA TERRE ... 104
- LE DRAGON D'EMERAUDE: JEZ-IIRA-BEL ... 105

D'AUTRES DRAGONS DANS NOTRE UNIVERS ... 107
- LE DRAGON DU SOLEIL: SORANOUM ... 107
- LES DRAGONS DE LA LUNE ... 107
- LE DRAGON DE SOLARIS: NINOURA ... 108
- LE DRAGON D'ANDROMÈDE: ENNGG MAAAAA ... 108
- LE PHÉNIX: BEN U ASR – LE COEUR DE RA, LE GRAND SOLEIL CENTRAL ... 109

PÉNÉTRER DANS L'OEIL DU DRAGON ... 111
- L'OEIL DU DRAGON DE LA TERRE ... 114
- L'OEIL DU DRAGON DE L'AIR ... 116
- L'OEIL DU DRAGON DU FEU ... 119
- L'OEIL DU DRAGON DE L'EAU ... 122

TABLES DES MATIÈRES

TABLEAU SOMMAIRE DES DRAGONS 126

HIÉRARCHIE DES DRAGONS/ FLUX D'ÉNERGIE DANS NOTRE GALAXIE 128

   QUESTIONS GÉNÉRALES 129

   REMERCIEMENTS 133

   À PROPOS DE L'AUTEUR 135

   PISTES DU CD "LA RESPIRATION DES DRAGONS". 139

Avant-propos

Deux ans environ avant le commencement de ce projet, j'ai été amenée à méditer sur les profondeurs de l'océan qui borde la côte du Pérou. J'étais en présence de TaNaa, la femme Dragon de l'eau qui, en ce temps-là, semblait endormie, ses yeux étaient clos mais un mouvement transparaissait derrière les immenses paupières alors que je me tenais immobile à ses côtés. Elle correspondait avec moi, sans mots et m'habituait à sa présence dans ma vie. Ce fut le début de nos communications et rétrospectivement, je réalise que ce fut également les prémices du travail avec les Dragons que j'allais être amenée à apporter au monde.

Au début, nos dialogues furent brefs. Ils concernaient surtout son lent réveil et son désir était que de temps en temps je m'assoie et sois simplement présente. C'est ce que je fis. Près d'une année plus tard, lors des sessions de travail avec l'énergie, je commençais à être consciente de la présence des dragons lorsque je travaillais avec certains individus. Ces personnes semblaient avoir des dragons, coincés dans leur colonne vertébrale, qui essayaient de sortir tout en étant accrochés à quelque chose. Une partie de mon travail se révéla de devoir éveiller puis libérer ces dragons, réveillant en même temps une nouvelle énergie draconique dans ces personnes, ce dont elles furent très conscientes dans leur vie quotidienne.

Ce n'est qu'en août 2007, lors du premier rassemblement sur

AVANT-PROPOS

"la Grotte Sacrée[1] du Monde" à Kona, Hawaï que cela a pris une plus large portée. Le soir précédent le meeting, je rencontrai pour la première fois Padma Prakash en personne. Nous avons échangé une conversation pleine d'entrain avec quelques uns des participants au congrès et, d'une manière ou d'une autre, nous en sommes arrivés à aborder le sujet du travail que j'effectue avec les dragons lors de sessions individuelles. Comme à son accoutumé, Padma s'est simplement tourné vers moi, me regarda et dit: "A la fin de cette semaine, vous aurez une chose de plus à faire avec les dragons".

Je ne sais pas si ma réponse était inconsciente ou due à mon incertitude, mais je ris et répondis: "bon, si tu en apprends un peu plus sur ce sujet, merci de m'en informer". Je repoussai promptement l'idée dans le fond de ma conscience, trop désireuse, pour une fois, d'être une participante et non pas une intervenante.

Le troisième jour, il était pourtant clair que j'avais un rôle à jouer. Il se dévoila de la plus gracieuse façon, d'une manière organique. Nous clôturions le congrès avec une cérémonie et un rituel dans les eaux sacrées de Pu'uhonua O Honaunau (le lieu de refuge), dans la piscine de naissance des anciens, incrustée dans les flots de lave refroidie, fouettée par les vagues s'y écrasant.

> "ELLE EST LÀ, ES-TU PRÊTE ?"

Après avoir été "préparée" par deux des prêtresses du groupe, je m'assis en méditation et commençai à sentir TaNaa remonter des fonds sous-marins et entrer énergétiquement dans le bassin sacré. J'ouvrai mes yeux et au même instant, Padma me regarda et dit: "elle est là, es-tu prête ?". J'entrai dans les eaux, nageai vers TaNaa et me surpris à chanter le langage sacré de Mu tel qu'il surgissait de mon esprit. Ensuite, dans un torrent de vibrations et de mouvements, TaNaa et moi avons fusionné: Lorsque j'émergeai c'était elle qui regardait par mes yeux et se

---

[1] grotte sacrée est la traduction de "utérus" dans le but de convenir autant aux hommes qu'aux femmes. L'appellation "hara" est également usitée dans le même contexte.

AVANT-PROPOS

déplaçait afin de rencontrer chaque initié au moment où il entrait dans les eaux du bassin pour recevoir son cadeau: le réveil du dragon de leur grotte sacrée.

Deux jours plus tard, à l'occasion d'un repas, assis à la table de notre restaurant préféré, Padma, dans son style typique, se tourna vers moi et constata: "tu réalises maintenant que tu dois écrire un livre?" Avec une nouvelle douceur, venue du fond de moi-même et sans aucune hésitation, ma réponse fut simple: "oui, je sais".

Cette vérité était si simple, si limpide, si décisive, que la suite fut facile. J'écoutai et suivi naturellement, telles qu'elles se présentaient, les instructions qui venaient à moi. La première étape fut de trouver mon chemin vers l'Angleterre, le pays des dragons où sont encore perceptibles les connexions les plus tangibles, à travers le réseau de lignes énergétiques. Laissant l'Esprit me guider, je me retrouvai aux alentours d'Avebury et de West Kennett Longbarrow, au festival de Samhain en train d'expérimenter l'énergie des dragons avec des druides locaux. Peu après, me voilà dans une auberge située à moins de 400 mètres de l'ancien Sentier des Dragons, à Glastonbury, ce qu'en toute conscience j'ignorai totalement ! C'était l'unique maison à louer à une telle proximité et elle offrait tout ce dont j'avais besoin pour me concentrer et écrire: la solitude, une cuisinette et une vue sur la colline sacrée de Tor. Lorsque nous laissons l'Esprit nous guider, c'est toujours magique et divin.

Là-bas, je passais mon temps en profonde communication avec chaque dragon, méditant, chantant et respirant avec eux. S'en suivaient des heures à essayer de rassembler la récolte d'informations, dans une forme succincte et compréhensible. Une chose que j'aime avec les dragons, c'est qu'ils sont très efficaces et pratiques. Avec eux, il n'y a pas de temps perdu en fioritures, vous le découvrirez lorsque vous approfondirez le sujet. Notre mental apprécie les explications et les informations de fond et celles qui suivent devraient suffire à vous faire pénétrer rapidement dans la partie la plus ludique du travail avec les dragons… être en leur présence et fusionner avec eux.

Cette aventure a été, et continue à être, la plus incroyable histoire que je n'ai jamais imaginé vivre. Je suis éternellement reconnaissante à Padma pour sa perspicacité et son assistance à Londres lorsqu'il

AVANT-PROPOS

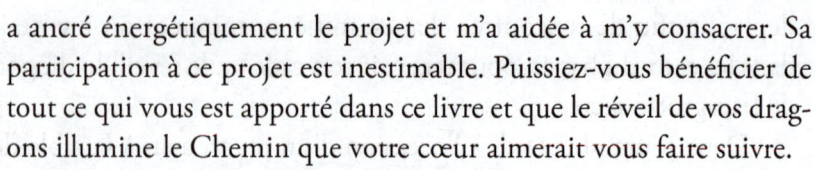

a ancré énergétiquement le projet et m'a aidée à m'y consacrer. Sa participation à ce projet est inestimable. Puissiez-vous bénéficier de tout ce qui vous est apporté dans ce livre et que le réveil de vos dragons illumine le Chemin que votre cœur aimerait vous faire suivre.

Avec l'amour le plus profond et le respect pour tous les êtres vivants,

Araya AnRa

Reno, Nevada
February 2008

Mise à jour October 2008: Le travail avec les Dragons continue à s'épanouir et à se dévoiler. Comme certains d'entre vous le savent, durant mon pèlerinage en Egypte en mars 2008, beaucoup de nouvelles données y compris celle de la présence d'autres dragons prêts à travailler avec l'humanité, m'ont été révélées. Ceci juste après la parution de la première édition du Dragon Intérieur. Ces informations sont incorporées dans cette édition.

Plus je continue le travail avec ces êtres magnifiques, plus je reçois de révélations, plus les réalisations se produisent et plus grands sont les niveaux nettoyés. Je me réjouis déjà des découvertes continuelles que cette aventure m'apporte. Ces révélations nous accompagnent au fur et à mesure que nous progressons en direction du saut de conscience qui est devant nous. De plus, je suis d'ores et déjà au courant qu'une nouvelle octave de Dragons est en train de venir en tant qu'Etres et cette année (2009) promet de nouveaux travaux, d'autres ouvertures et la parution d'un autre livre.

Introduction

Nous vivons une période de grands chambardements. Partout sur la planète des cercles de tous genres sont conscients de cet éveil. "Travailleur de lumière" est devenu un terme courant, tout comme le sont "activation d'ADN, les sons guérisseurs, les channelings, les connexions avec d'autres dimensions ou êtres interdimensionnels... La Femme Divine refait surface dans une nouvelle forme, puissante et équilibrée. Tout ceci est en lien avec "l'ascension" ou, pour l'exprimer de façon adéquate, avec "la descension" de nos corps de lumière dans le plan physique.

Nous utilisons le son, la respiration et les couleurs pour guérir, purifier et activer… Par ces moyens, nous devenons conscients de notre vaste soi et de notre pouvoir en tant que co-créateur de notre réalité. Nous nous intéressons au Tantra et à la respiration afin d'ouvrir les canaux du corps qui nous aident à évoluer. Toutes ces pratiques sont, la plupart du temps, d'anciennes pratiques qui re-émergent avec un vocabulaire qui sied au XXIe siècle. A l'origine, la terminologie était celle des dragons: respiration du dragon, mantras des dragons, mouvements des dragons, et symboles des dragons. Les anciennes civilisations, dont nous avons fait partie, étaient beaucoup plus proches de la Terre et de la Nature et c'est pour cela que nous sommes encore conscients et capables de nous connecter à toutes ces énergies. Remarquons qu'à l'époque il n'y avait pas la moindre bribe de peur autour de ces pratiques ancestrales.

L'histoire proche nous a transportés loin des ces connexions et de ces connaissances, ce qui engendra la peur de notre forme et de notre énergie reptiliennes et provoqua la disparition physique des dragons qui habitaient encore la planète. D'un autre côté, les tueurs de Dragons ont été honorés par des légendes et les histoires de dragons hideux, dangereux et assoiffés de sang ont nourri la terreur envers ces créatures. Ces craintes se sont répandues dans différentes cultures, elles ont été assimilées et se sont étendues à tous les cultes en relation avec l'adoration de la Terre, de la Nature, des Déesses, des Dévas, des Esprits de la nature etc. Il est important de nous retourner et de les regarder à nouveau, avec des yeux neufs, d'ouvrir nos cœurs afin de comprendre la Vérité de la source et de pouvoir évoluer sur d'autres niveaux.

Notre flux vital, l'abondance, la créativité et la liberté sont liés et travaillent avec les énergies des dragons d'une manière tout à fait consciente. L'accomplissement de la spirale est de revenir aux anciennes énergies de la création, à nos racines moléculaires pour ainsi dire, avec une conscience qui nous permette d'évoluer et d'atteindre la prochaine phase de l'évolution humaine: la prochaine spirale.

Beaucoup de pratiques modernes se focalisent sur le fait de quitter la terre pour atteindre, dans le cosmos, des endroits féériques où la Connaissance, les guérisons et autres guidances en tous genre abondent. Mais la clé de notre évolution est de faire passer en nous la lumière et les vibrations que nous avons acquises grâce au Cosmos, avant de les retransmettre consciemment dans les couches les plus denses de notre être et du noyau de Gaïa. Apporter l'Amour infini que cette lumière transporte provoque la transmutation de ces couches. Ensuite, cette énergie retourne dans nos êtres puis rejoint le Cosmos dans un mouvement telle une vague sans fin, une gigantesque lemniscate, qui augmente la fréquence sans cesse.

Cette énergie créée au travers de toute l'humanité augmente le niveau de lumière et dissout la densité de la planète terre, chose que nous ressentons, consciemment ou non. Pendant ce temps, notre responsabilité, notre tâche principale est d'apporter le plus haut niveau de nos vibrations personnelles, notre corps de lumière, dans ce plan. Ceci ne peut s'effectuer qu'en passant par le même canal que celui qui nous a fait naître sur cette planète: par la matrice cristalline, dans le cœur de Gaïa, et de son point d'accès par les couches de densité maintenues en forme par les dragons. Nous avons autant besoin de comprendre les dragons que de savoir comment travailler avec eux et comment nous y connecter à nouveau.

Depuis le début de la création de l'univers, les dragons ont joué un rôle important. Ils se retrouvent dans les plus anciennes traditions, les religions, les philosophies et pourtant ils sont toujours considérés comme pur produit de notre imagination, ayant une existence mythique et légendaire. Néanmoins, quelques-unes de ces traditions ont tenu les dragons en haute estime. Les Nagas, par exemple, sont pris en considération dans les enseignements hindouistes et bouddhistes. Décris comme serpents ou dragons de l'eau, les Nagas sont connus pour être les Gardiens des anciennes connaissances. Ils ne partagent leurs savoirs qu'avec les dévots ou les initiés, tel que Nagarjuna qui est l'un des plus importants philosophes bouddhistes que l'histoire ait connu. C'est durant une méditation au bord d'un lac en Inde qu'il reçu la connaissance secrète de la part des Nagas vivant là, qui la gardaient à son attention, afin qu'il la partage avec des millions de Bouddhistes à travers les âges.

Un autre exemple concerne les moines bouddhistes tibétains qui pratiquent régulièrement le chant polyphonique près des cascades afin d'être assistés par les Dragons de l'eau et de l'air. Ces derniers aident à affiner l'émission des sons et à améliorer les pratiques respiratoires.

Connus pour activer notre force de vie, les enseignements hindous du Naga Tantra faisaient partie intégrante du parcours des étudiants en quête d'illumination. Même le Bouddha était souvent représenté entouré de serpents et de dragons. On dit que l'Impératrice des Nagas le reconnu, apparu devant lui et le salua en tant qu'avatar avant son illumination.

Dans la tradition chrétienne, plutôt que d'être révérées, ces créatures sont craintes, et les énergies féminines sauvages, débridées qu'elles représentent sont bannies. Dans l'incapacité de les contrôler, le pouvoir chrétien préféra éliminer totalement la notion même de dragon. Les dévots païens, les druides, les prêtresses, les sorcières…

tout ce qui de près ou de loin pouvait être associé au pouvoir divin de la Femme, à Gaïa ou aux Dragons a été enterré ou brûlé dans un effort constant de répression. Il ne restèrent que dans les légendes et les mythes. Ce, jusqu'au jour de leur résurgence, convenue par les dragons eux-mêmes.

Cette réapparition arrive lorsque le retour de la Femme Divine est également prêt à resurgir, car tous deux sont intimement liés. Pour comprendre ceci, il faut remonter aux origines de la formation de la planète Terre et de Tiamat, la mère de la forme. Avant de créer Gaïa et sa conscience, le corps de la terre a dû être formé. Cette tâche a été dévolue à Tiamat, la mère primordiale des formes, du chaos et de la densité à travers lesquels toutes les choses prennent forme physique. En conjonction avec le Dragon de Cristal et Métatron, le plus haut des Archanges, la géométrie de la terre a été créée avec un centre cristallin et un cœur de feu. Les réseau de lignes telluriques temporaires, ou l'ADN de Gaïa, ont ensuite été établis afin d'ancrer les énergies de la conscience et de donner vie à la terre.

En tant que créatrice, Tiamat est également la gardienne de l'ascension de Gaïa. Quand le temps sera venu, l'humanité saura comment contacter Tiamat et libérer son énergie permettant l'ascension de la Terre dans la lumière. Avec l'activation du corps de lumière de Gaïa, l'esprit et la matière seront totalement connectés. Ceci ne peut cependant pas se produire sans que l'humanité n'atteigne un certain niveau de conscience, ou que la "descension" de nos corps de lumière dans le physique ne s'accomplisse.

En tant que gardienne, la première couche de protection, mise en place par Tiamat, fut celle juste autour du cœur de la terre. La structure familière de cette création, douze autour d'un, devint évidente avec les douze Dragons de Mu. Ils formèrent simultanément la première couche de création et de protection. Ils ont été amené à maintenir la forme en place et à étendre les possibilités de création et de formation. Ils représentent les polarités de la 3e dimension et les éléments qui composent toutes les créations sur le plan physique.

Ces douze étaient les six paires mâle-femelle des Dragons Noirs, Blancs, de la Terre, de l'Air, du Feu et de l'Eau. Ils sont les plus grands et les plus vieux êtres sur terre après Tiamat. Ils détiennent les codes de notre éveil individuel tout comme celui de l'ancrage de nos corps de lumière dans la matière, ils sont la clé de notre "descension" dans Gaïa. Ils sont aussi responsables des évènements cataclysmiques que la nature produit depuis la nuit des temps et qui ont été des opportunités cruciales pour l' éveil de l'humanité.

C'est à travers notre connexion aux énergies des dragons, redevenues accessibles une fois encore, que nos corps de lumière peuvent être totalement ancrés dans la matière. C'est pourquoi les dragons ont réapparu et jouent un rôle crucial en ce moment, sur notre planète. C'est par le réseau des lignes telluriques des dragons que toutes les énergies entre notre corps humain (ADN), notre âme (corps de lumière) et Gaïa (nature) peuvent être mises en connexion. Sans les énergies des dragons, il ne peut y avoir d'activation de nos grottes sacrées individuelles, ni de celle de Gaïa, ni d'ascension pour Gaïa, ni aucune connexion consciente entre la planète et le reste de l'Univers.

Nous sommes donc responsables d'apporter la Lumière dans les endroits les plus profonds, les plus sombres de la matière (Tiamat), tout comme le Christ et Buddha Padmasambhava le firent. L'esprit pourra être réalisé en tant que matière, et tous les êtres, y compris Gaïa, pourront être totalement plongés dans leur corps de lumière et être identifiés avec leurs âmes, et non seulement avec leurs corps-esprit. Il n'est plus question que seuls des êtres individuels sensibles s'attellent à cette tâche mais il s'agit plutôt de nous en tant que collectivité.

Le côté excitant de ceci est que partout sur la planète, des humains sont conscients et prêts à sauter dans leur Dharma, de jouer leur rôle dans cette pièce. Tiamat sait déjà qu'elle a été vue pour la première fois depuis la nuit des temps. Nous sommes conscients de sa présence, enveloppante, serrée tout contre le cœur de la planète, de la grotte sacrée de Gaïa… la cachant, la gardant. Nous sommes également conscients des procédés qui la libèrent. A cause de sa nature chaotique et dense elle fait ressortir en nous autant les plus profondes excitations que les peurs les plus tenaces.

L'une des choses les plus effrayantes pour l'être humain, c'est d'être totalement connecté au pur flot de la VIE. Il ne peut être ni

> **C'EST LE DÉSIR DE DIEU…, AFIN QUE CHAQUE ÂME DANS L'UNIVERS EXPÉRIMENTE LA JOIE PURE D'ETRE**

dirigé ni contrôlé… il n'y a pas de MENTAL dans notre nature la plus vraie. On peut seulement chevaucher ce flux et être dans la JOIE. C'est le désir de Dieu dans ses co-créations, afin que chaque âme dans l'univers expérimente la joie pure d'ETRE; de se sentir vibrante de VIE et de JOIE à chaque instant.

Tout en poursuivant notre chemin afin d'accomplir le grand saut dans notre évolution, Tiamat sait et connaît nos intentions et nos buts. Elle est déjà consciente que le Concile des Dragons de Mu s'est réuni pour la première fois depuis des millions d'années. Cette réunion résulte du relâchement du vortex de feu de la grotte sacrée de Gaïa connectée à la fois à Tiamat et au cœur de feu niché dans le centre de cristal.

Cette libération est le résultat de l'ouverture d'innombrables canaux sur notre planète, du centre à la surface. Certaines lignes telluriques des dragons sont partie intégrante de la grille énergétique terrestre. Ceux qui sont déjà en résonnance avec les dragons sont conscients, depuis cet évènement, d'une présence beaucoup plus physique et constante de certains dragons. L'ouverture de ces canaux permet à beaucoup d'entre eux de resurgir complètement et ce pour la première fois depuis des millions d'années. Ceux qui se sentaient déjà auparavant en harmonie avec les dragons, réalisent aussi, à un niveau plus profond, qu'ils matérialisent ces dragons. Eux et les dragons ne font qu'UN. C'est une puissante réalisation de leur vraie nature et de la multiplicité des expériences.

L'ascension de Gaïa est liée à la nôtre, et donc, quand nous travaillons à sa libération de manière à ce qu'elle puisse "ascensionner", nous devons également œuvrer sur nous-mêmes afin d'ancrer nos corps de lumière et activer les lignes telluriques des dragons autant dans nos corps que dans la Terre elle-même. C'est en travaillant avec les dragons et les énergies qu'ils nous apportent que nous pouvons accomplir ceci.

L'Aspect HUMAIN

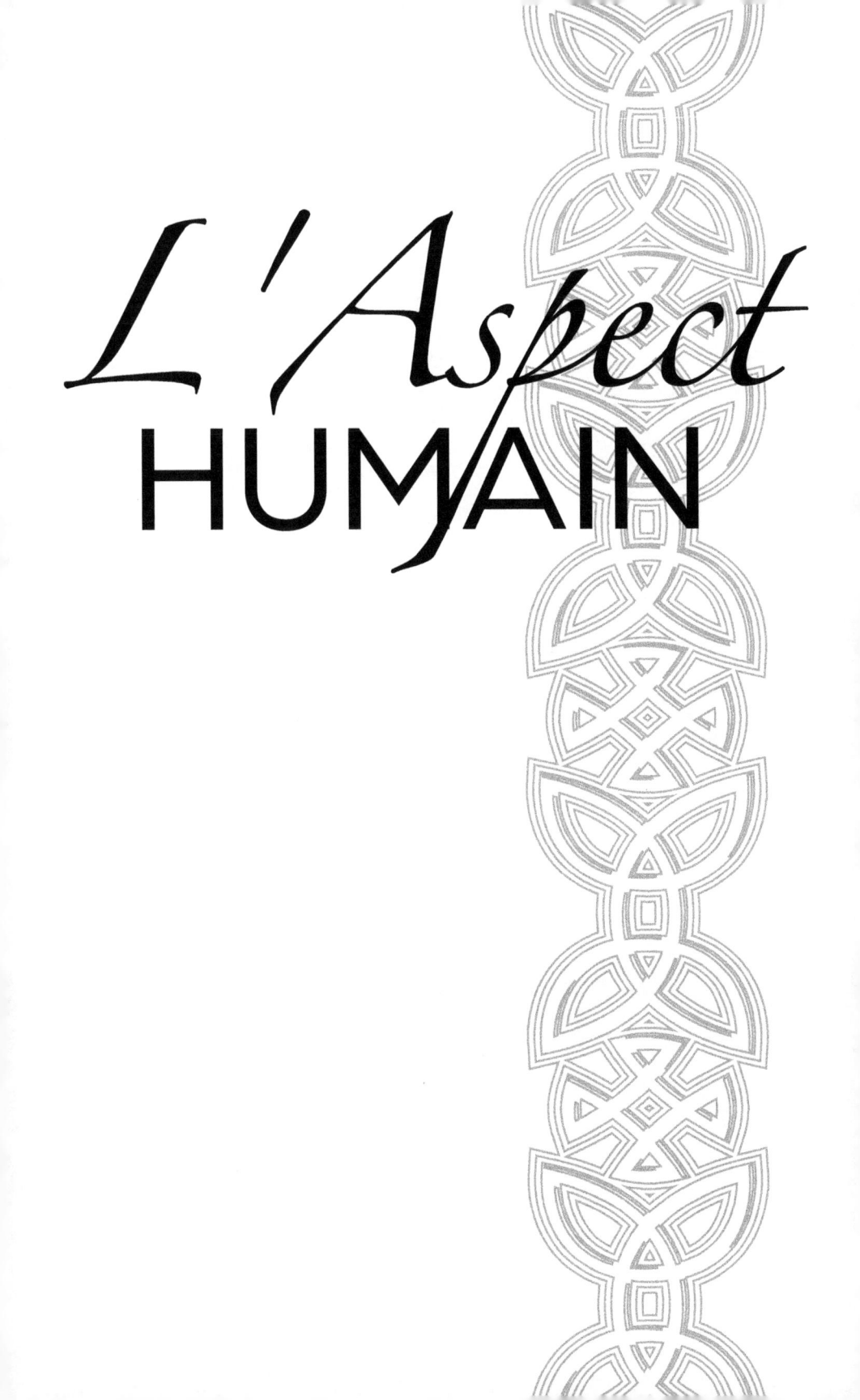

L'Aspect Humain

LA CONNEXION ENTRE LE CORPS HUMAIN (ADN), LE CORPS DE LUMIÈRE (L'ÂME) ET GAÏA (LA NATURE)

Nous connaissons la structure de l'ADN du corps humain et savons que ses connexions sont historiquement limitées à ses deux brins. Or, il y a actuellement au moins 12 brins (les Egyptiens en reconnaissaient 64 alors que les Atlantes en considéraient 144) tandis que le reste d'entre eux sont cassés et "dorment" dans l'attente d'être reconnectés. Le corps lumière aussi transporte les mêmes 12-144 brins codant l'empreinte de notre âme dans le monde éthérique. Eux aussi somnolent dans l'attente d'être reconnectés et ancrés aux brins de notre corps physique.

Ces brins se sont retrouvés déconnectés au moment où nous avons choisi d'expérimenter la douleur et la séparation du monde de la dualité. Nous avons gardé nos brins d'ADN physiques et éthériques dormants et déconnectés par notre désir de connaître qui nous sommes par son opposé. Dans le fait de se séparer de la Source, il y a, sous-jacent, une recherche constante et un ardent désir de se reconnecter avec elle. Une fois que nous faisons le choix conscient de nous reconnecter à la Source, nous créons un champ aurique à l'intérieur du corps humain en le connectant à notre corps de lumière et nous pouvons ainsi accéder entièrement à notre âme et à la conscience unique.

> L'UNE DES PLUS GRANDES ILLUSIONS EST... DE CROIRE QUE NOUS SOMMES TOTALEMENT SEULS DANS CE VOYAGE

L'une des plus grandes illusions est, et a été, de croire que nous sommes totalement seuls dans ce voyage. Parfois, nous nous sommes sentis isolés ou débordés, comme si personne d'autre ne pouvait ressentir l'urgence ou comprendre le parcours, apparemment étrange, que notre chemin avait pris, un caprice intuitif, afin de nous mener aux endroits où nos âmes voulaient se rendre. Au fur et à mesure que nos consciences évoluent et que la connaissance s'y infiltre, nous réalisons qu'en tant que Terriens nous faisons partie de Gaïa, que notre évolution est intimement liée à elle, aux autres et que nous sommes responsables de l'ancrage du corps lumière de Gaïa.

Afin d'accomplir cela, une masse critique de lumière doit atteindre la planète. Comme nous progressons tous individuellement dans le but d'ancrer notre Divin, notre corps de lumière, dans cette réalité, nous avons commencé à rencontrer d'autres personnes comme nous. Nous avons partagé ce travail ensemble ce qui nous a conduit à comprendre qu'il s'effectue partout, dans de petites poches. Maintenant, chacune de ces "pochettes" se lie aux autres, une connexion globale s'établit et tel un feu sauvage, la lumière se répand sur toute la planète.

C'est par les lignes d'énergie des dragons que toutes les énergies entre le corps humain (ADN), notre corps de lumière (l'âme) et Gaïa (la nature) peuvent être connectées. Beaucoup de ceux qui sont sur un chemin d'ouverture de conscience ont vécu des moments durant lesquels la lumière a surgi leur faisant prendre conscience de sa présence.

Des moments de profonde conscience, de compréhension limpide ou même d'une étonnante clarté de supraconscience surgissent par l'intermédiaire de la méditation, de la danse en état de transe, de cérémonies, de rituels, ou par le biais de pratiques similaires qui mènent à cet état. Ces instants peuvent durer quelques secondes, des minutes ou des heures mais ils sont passagers, et comme le corps lumière est incapable de s'ancrer, il se déconnecte donc encore une fois, nous refoulant dans un état de séparation. Or, c'est le plus profond désir de l'âme que de maintenir cette connexion, à chaque instant.

Dès que nous devenons conscients de notre corps de lumière et que nous sommes prêts à l'ancrer totalement dans les dimensions du plan physique de la Terre, l'importance de la relation entre les Dragons Interdimensionnels, Intergalactiques et les Elémentaux du plan terrestre, devient évidente.

En fait, depuis quelque temps déjà, nous travaillons inconsciemment avec les énergies interdimensionnelles de l'Or, de l'Argent et du Cuivre. Pour ceux qui voient les champs auriques, la présence de ces couleurs et l'apparition de nouveaux modèles dans l'aura de certaines personnes est visible depuis quelques années.

Bien souvent, cela commence avec l'apparition de couleurs métalliques se mouvant dans le champ aurique, ou dans l'une de ses moitiés (l'un des côtés féminin ou masculin peut commencer à travailler avec ces énergies avant l'autre), et typiquement, vous remarquez en regardant l'aura que ce champ métallique tourne dans la direction opposée de la majorité des autres couleurs ou des formes géométriques dans le corps.

Juste ensuite, vous allez remarquer deux des énergies interdimensionnelles travaillant ensemble dans le corps. Ce sont habituellement l'Or et l'Argent. L'une remplit la moitié de l'aura, l'autre la moitié opposée. Si une personne clairvoyante observe la scène, la personne semblera presque être bilatéralisée d'abord en or et argent, puis avec les deux moitiés tournant chacune dans un sens opposé, l'une vers l'autre.

Les côtés peuvent se modifier et être, par exemple, or du côté droit, argent du côté gauche et quelques heures plus tard à l'opposé. Ces énergies vont aller et venir au fur et à mesure que la personne est prête à recevoir les différents niveaux d'activation qu'elles apportent. Que nous soyons conscients, que nous nous préparions ou que nous nous recalibrions simplement aux nouveaux niveaux, ces énergies vont nous quitter pour nous laisser le temps de les assimiler et de nous préparer à la prochaine étape de travail.

En commençant à travailler en conscience avec ces énergies, nous accélérons le processus qui, dans la plupart des cas, a débuté inconsciemment pour beaucoup de ceux qui sont sur le chemin de l'éveil. Il est cependant important de travailler avec elles dans l'ordre afin que l'apport de chaque Dragon puisse nous être totalement bénéfique et être activé en nous.

Comme de plus en plus d'individus sur la planète atteignent cette capacité, il devient plus facile, dans un sens, aux prochains d'y accéder. A chaque échelon que nous gravissons sur l'échelle de notre chemin individuel, nous élevons aussi un tout petit peu le niveau entier des vibrations terrestres, ce dont tout le monde bénéficie. Dans un sens, ceci devient une partie intégrale de notre Service. L'œil intérieur ne se focalise plus uniquement sur les besoins de l'être intérieur mais se tourne à l'extérieur, fait face et se met au service de la communauté et du tout.

LES VOIES INTÉRIEURES DU CORPS

Au cours des siècles, on a beaucoup écrit au sujet des réseaux telluriques ou des grilles énergétiques terrestres. D'anciennes cultures sacrées, proches de la nature, étaient profondément conscientes de leur existence. Tout comme les chemins migratoires innés que suivent les oiseaux afin de retrouver leurs terres d'origine ou ceux que les baleines utilisent pour se guider autour du monde, ces lignes d'énergie nous mènent à des espaces de pouvoir et de souvenirs, à des endroits de profonde connexion avec Gaïa, et par conséquent à de puissants lieux reliés aux grilles solaires, qui servent alors à nous reconnecter aux étoiles afin d'obtenir des informations au sujet de notre propre évolution.

Beaucoup de ces lignes nous sont familières grâce à la résurgence d'anciens rites païens et à la redécouverte de cercles ou de structures en pierre, particulièrement dans le nord de l'Europe. Tout cela est en lien avec les recherches effectuées et les écrits que des personnes ont rédigés pour nous aider à comprendre ces architectures. Quasiment toute personne s'aventurant sur ces lieux, peut se connecter et ressentir l'énergie y coulant. C'est comme si nous posions les doigts sur une veine ou sur une artère et ressentions le pouls de la planète.

Comme pour l'être humain, avec ses entrelacs complexes de réseaux veineux et artériels transportant l'oxygène, les aliments et la force de vie à chaque cellule du corps, la planète a son propre labyrinthe de réseaux énergétiques. Ces voies internes à Gaïa, agissent comme notre système sanguin. Elles ont la capacité d'apporter des vibrations d'énergie fraîches et hautes et d'emporter les énergies basses, vieilles et denses qui ne sont plus utiles au "corps".

Certains de ces réseaux sont les voies d'énergie des dragons de Gaïa, et beaucoup sont en latence ou endormis depuis des siècles, voire des millénaires. Durant les récentes décennies, beaucoup de personnes ont été appelées à retracer ces voies et à travailler dans certaines régions du monde dans le but de réveiller ou activer ces énergies vivantes qui nourrissent Gaïa et les humains. Ces travaux furent effectués pour que Gaïa puisse s'éveiller totalement et qu'elle réussisse à ancrer son corps de lumière. Il est divinement approprié qu'autant de personnes aient participé à ce réveil, aient ressenti et suivi l'appel intérieur de leur cœur pour se rendre dans ces lieux spécifiques afin d'y compléter le travail d'ancrage.

Comme pour nous tous, le circuit énergétique de Gaïa a besoin d'être totalement activé, avec comme points culminants: la lemniscate connectant le cœur au hara, le huit de l'infini encerclant les gonades, l'activation actuelle du hara et de ses spirales et le réveil du Dragon de la grotte sacrée. Son processus semble être le reflet du nôtre, travaillant dans un ordre inverse de celui que nous devons suivre. Notre travail commence à l'intérieur pour s'étendre au dehors de nous alors que celui de Gaïa est d'activer d'abord ses voies externes pour réussir finalement à activer son hara.

De façon identique à Gaïa, notre corps comporte des voies que l'énergie des dragons parcourt. Depuis quelques décennies, plusieurs techniques ont été développées pour contribuer à nettoyer ces voies et à assouplir voire dissoudre les blocages: respirations, sons guérisseurs, mantras, régressions, guérisons énergétiques. Ces méthodes et beaucoup d'autres, ont largement contribué à clarifier et aligner nos circuits au point qu'actuellement ils peuvent être complètement activés.

Le Dragon de la grotte sacrée et son réseau de voies cristallines ont besoin d'être d'abord activés avant de pouvoir rétablir nos connexions avec Gaïa et son cœur de cristal. En fait, il est aussi notre propre centre de cristal et le passage à travers lequel le reste des énergies cosmiques peuvent arriver lorsque nous nous connectons hara contre hara à Gaïa et à son cœur cristallin.

Une fois que la connexion de cristal à travers la grotte sacrée est rétablie, nous pouvons travailler de l'extérieur vers l'intérieur, en commençant avec les Elémentaux afin d'ouvrir tous les circuits et les cellules du niveau physique primaire. Cette action prépare le corps physique au processus. Travailler avec ces dragons ouvre à nouveau les voies du corps physique, par le torse (Terre), la colonne vertébrale (Air), l'abdomen (Feu) et le cœur (Eau). Chacune de ces parties a besoin d'être nettoyée des débris, de maux, d'anciennes plaies etc. Ce processus est indispensable car nous ne pouvons pas avancer dans des vibrations plus hautes tant que ces blocages ne se sont pas dissous.

Quand tout ceci est ouvert, nous sommes prêts à accéder au prochain niveau de travail avec les Dragons Blancs, Noirs, Cristallins et Métatron qui est intimement lié au Dragon de Cristal et est, en simplifiant, le gardien de la géométrie sacrée et de la structure de l'ADN. C'est là que toutes les connexions et l'activation peuvent avoir lieu, dans le corps physique. Ces êtres ouvrent les voies supérieures connectées à la structure totale de notre ADN dans la colonne vertébrale, reconnectant les brins d'ADN éthériques avec ceux physiques et liant notre corps de lumière totalement dans le plan physique.

Parce que ce travail nous amène dans les couches les plus denses, là où résident les dragons, dans le cœur de la planète, il crée un flux énergétique dont les Mayas et d'autres anciennes civilisations étaient conscients lors du trajet de l'âme sur le chemin du retour à la Source. Descendant d'abord dans les profondeurs et y trouvant le passage vers la galaxie à travers lequel les âmes "remontent", retrouvant le chemin qu'elles avaient emprunté lors de leur arrivée sur terre.

> **VOUS NE SEREZ PLUS QUI VOUS PENSEZ ÊTRE MAIS QUI VOUS ÊTES REELLEMENT**

Nous avons tous parcouru un chemin identique pour arriver dans cette dimension et c'est la même voie que notre corps de lumière va devoir suivre pour se reconnecter avec nous, dans le plan physique. Les dragons ont été les gardiens de cette connaissance secrète et ainsi ils détiennent la clé de notre "ascension".

Cette activation est l'un des aspects les plus menaçants et provocants de notre évolution en tant qu'humain. Il y a énormément de peurs et de résistances construites autour du dragon ou de l'énergie reptilienne parce que leurs mystères sont restés cachés depuis si longtemps… Plus important encore, nous sommes dans une position inconfortable lorsque nous perdons le contrôle, sortons de notre esprit ou nous retrouvons dans le pur flot de la Vie… c'est pour cela que nous sommes si effrayés. Soyons aussi très clair que les dragons ne sont pas des reptiliens.

Quand votre dragon est activé, votre corps de lumière totalement ancré, vous êtes dans la véritable co-création et de ce fait vous relâchez les rênes qui contraignent le flux de la Vie. Vous aurez simplement à suivre le fil de votre vraie nature et devrez avoir confiance dans les directions où vous serez menés. Vous ne serez plus qui vous PENSEZ être mais qui vous êtes REELLEMENT. C'est une expérience d'une puissance inimaginable!

DRAGON DE LA GROTTE SACRÉE / DRAGON DU HARA

Nous avons tous un Dragon dans notre hara. Actuellement, il est le plus souvent endormi et se tient lové, la tête vers le haut, à la base du hara dans l'attente de l'appel qui le réveillera. Chez les femmes, il se trouve dans l'utérus, chez les hommes il est exactement au même emplacement, dans l'abdomen, dans le hara. Ce dragon apparaît presque infantile, minuscule. Et pourtant il porte l'immense pouvoir de création que nous contenons, qui croît à chaque fois que nous activons notre grotte sacrée, de notre propre autorité, en tant que co-créateur avec le divin.

Ce dragon est surtout lié aux anciennes et puissantes forces de la Nature, du pouvoir et de la sexualité: la déesse Ishtar. Ishtar, le divin féminin est la personnification de la planète Vénus et de tout ce qu'elle représente. Elle est la Déesse et la protectrice de la fertilité et de la sexualité dans tous ses aspects tendres et puissants – une vraie représentation de l'être ancré dans son rôle de co-créateur. Son pouvoir s'entrelace avec celui de l'énergie du dragon contenue dans le hara, une fois notre connexion avec Gaïa activée, hara contre hara, un fil d'or tel un cordon ombilical relie le centre cristallin de Gaïa au nôtre.

Ce dragon du Hara est également intimement connecté au Dragon de Cristal, et de ce fait à Métatron, l'Archange aux multiple titres et responsabilités. Comme l'indique la traduction littérale de son nom: "derrière la matrice", Métatron incorpore tout ce qui se trouve derrière cette matrice et il est le responsable, le gardien de ce monde de création. Son architecture de lumière est traduite dans notre réalité par la géométrie sacrée avec laquelle nous sommes familiers, ainsi que celle, plus avancée, que nous n'avons pas encore découverte.

Non seulement les secrets de notre structure ADN se trouvent codés dans cette lumière, mais également le sens de toutes choses en dehors de cette réalité, ainsi que l'archétype dont nous avons besoin de nous souvenir pour pouvoir réintégrer notre propre modèle de lumière, au-delà de la 3e dimension. Notre dragon nous offre un miroir, tel un reflet de cristal, pour voir au travers de toute chose. Il semble évident que les enfants de Cristal et Indigo qui viennent au monde en ayant déjà intégré ces modèles, sont également sous sa supervision.

Métatron est aussi connu comme le serviteur ou le corps de Shekinah – la présence féminine de Dieu sur la planète – et il nous assiste dans la conquête de notre propre pouvoir. C'est un équilibre complémentaire ou un reflet divin des aspects d'Ishtar contenus dans nos haras; une interaction parfaite des deux.

A l'image du cœur cristallin de la planète, nous gardons une part du Dragon de Cristal en nous. Elle est représentée par une boule de cristal emmitouflée dans le Dragon du Hara endormi. Toutes les énergies draconiques de l'univers ont été créées par et à travers le Dragon de Cristal. C'est également par lui que passent toutes les lignes telluriques, les codes et les transmissions avant de nous atteindre. Parce que le Dragon de Cristal est directement relié à Métatron, il est en lien direct avec la structure de notre ADN, et de ce fait il participe à la reconnexion et à l'activation de l'intégralité des 12-144 brins d'ADN que nous portons. C'est à travers cette connexion que les nouveaux codes sont transmis à nos corps de lumière, au fur et à mesure de notre évolution.

L'énergie des dragons qui circule dans notre corps provient du hara et se répand en nous par des voies que l'on peut ouvrir et activer en se connectant au Dragon de Cristal. Notez qu'il ne s'agit pas de la même chose que de travailler ou d'appeler le pouvoir du Dragon de Cristal tel que nous le verrons par la suite. Il s'agit simplement de l'aspect qui crée et nettoie les voies d'énergie corporelles venant du hara afin que sa pleine activation puisse avoir lieu.

Pour certaines personnes, spécialement pour celles qui personnifient le Dragon du Cœur ou les aspects du Dragon Gardien, le réveil des caractéristiques cristallines du hara peut se produire quasi spontanément. Les Dragons du Cœur et les Dragons Gardiens incarnent physiquement les dragons sur cette planète. Ils ont pris forme humaine pourtant ils sont les porteurs de la lignée des dragons. Ils ont une affinité naturelle pour la connaissance des dragons ou sont très profondément conscients lorsque des informations surgissent qui, d'une manière ou d'une autre, sont en lien avec eux, et ce même si le mental ne comprend pas encore de quoi il s'agit.

Même si elles ne sont pas à leur pleine puissance, les énergies draconiques circulent déjà naturellement à travers leurs propres réseaux, commençant à s'éveiller plutôt que d'attendre d'être réveillées. C'est le souffle du dragon en pleine action de l'intérieur à l'extérieur, facilitant un rapide réveil du Dragon du Hara dès que l'individu est prêt.

Par contre, pour la plupart des gens, le processus n'est pas spontané et requiert une attention volontaire. L'un ou l'autre peut arriver en premier. Les exercices de "Tibetan Pulsing" sont l'une des méthodes les plus efficaces et directes pour nettoyer et dégager les obstacles d'aspects cristallins. Ces processus peuvent aussi être activés en travaillant avec les énergies des Dragons de Cristal et du Feu ensemble (la description est faite dans le travail avec de multiple Dragons) ou avec une combinaison des Tibetan Pulsing et du travail avec le dragon ou encore en travaillant directement avec Métatron par le biais d'un animateur. L'association du travail des Tibetan Pulsing avec la respiration des dragons peut être réalisée, par exemple, en passant en boucles les mantras des Dragons de Cristal et du Feu pendant les exercices. Cela engendre une telle puissance supplémentaire qu'il est préférable d'effectuer au préalable, plusieurs fois, uniquement les pulsings.

Quant au Dragon du Hara, dans la sphère cristalline, il ne peut être réveillé qu'après une série d'activations de notre propre hara. Ces activations créent un champ énergétique assez fort et placent dans le hara une conscience qui autorise le réveil. Les pratiques de Pulsing, le Tantra, la reconnexion du circuit liant le hara au cœur, les exercices de mandala du hara et retrouver le nom du hara, toutes ces pratiques, et bien d'autres encore, facilitent le réveil. Typiquement, ces pratiques vous amèneront à travers vos ombres les plus profondes; une partie necessaire de la voie. Une fois que ce niveau d'activation est atteint dans la grotte sacrée, un animateur, ou vous-même spontanément, pourrez chanter le réveil du Dragon. Chanter dans leur propre langue sacrée, connecte à l'âme du hara, c'est le seul moyen d'éveiller ces dragons.

Dès que le Dragon du Hara est réveillé et que ce magnifique petit œil s'ouvre et regarde vers l'extérieur, il devient très important d'accélérer le déblocage de l'énergie cristalline dans le corps. Si cela a déjà été complété (et aussi le travail avec les Elémentaux), alors vous êtes prêts à travailler avec les Dragons Intergalactiques pour réaliser l'ouverture complète du Dragon de Cristal dans le corps.

ISHTAR ET LE DRAGON DU HARA: COMPRENDRE LE POUVOIR QU'ILS DÉTIENNENT

C'est la Déesse Ishtar qui détient la connexion la plus profonde pour réveiller et rendre son pouvoir au Dragon du Hara. Comme mentionné auparavant, elle est la personnification du divin Féminin; le condensé du flux naturel, brut, sauvage, créatif équilibré par la tendresse et la puissance. J'ai compris son rôle durant une méditation très puissante:

"Ishtar se tenait devant moi et m'a invitée à avancer, à approcher de son ventre… elle a ouvert sa robe et m'a poussé dans… dans le noir dont j'émergeais avec son pouvoir. Je sentais ses spirales tournoyer autour de moi et regardais vers le bas pour découvrir dans mes mains, au fond de la grotte sacrée d'Ishtar, une boule de cristal. Au moment où je l'observais, un œil s'est ouvrert; l'œil du dragon Vert. Ishtar est connectée au dragon vert de la Terre; Kwan Yin à celui du dragon jaune qui représente l'Air, Isis au dragon rouge du Feu et Lady Nada au bleu du dragon de l'Eau. La "boule de cristal" est une partie du Dragon de Cristal. Elle se trouve à la base du hara et donne accès à tous les dragons car tous personnifient le Cristal et y sont connectés.

Ainsi, la première fois que j'ai vu le dragon dans le hara il m'est apparu noir et vert, les couleurs étaient mélangées. J'ai eu la perception que le vrai pouvoir du hara se trouvait dans la combinaison de ces deux couleurs. C'est le vert qui nous connecte le plus profondément à Gaïa, la terre mère, alors que le Dragon de la Terre et le Dragon Noir nous relient à Ishtar, le pouvoir qui crée à partir du néant."

Cette énergie du dragon, la force primordiale, la puissance du serpent, la force brute de la vie, l'inconnu irrationnel, le chaos qui a été calomnié et renié depuis si longtemps, tout cela représente une clé importante de l'enracinement et de l'ouverture complète de la grotte sacrée. Elle ne peut pas s'ouvrir d'une autre manière. Cette énergie du chaos primal, la force féminine indomptée, sauvage et libre, active la résonance avec la terre – la personnification d'Ishtar – enracine la lumière dans le corps et dans la terre.

Le hara est la source de toute la puissance créatrice. Lorsque nous somme pleinement connectés à lui et qu'il est totalement activé, avec ses cinq spirales tournoyant, nous sommes alors dans un processus continuel de naissance et de création; la manifestation du vide créateur dans la forme physique. Nous vivons intégralement le moment présent et sommes connectés à tout Ce Qui Est. C'est dans cet état que nous sommes le plus proche de notre potentiel véridique et des infinies possibilités qu'il contient. Nous et le Dragon du Hara – le pouvoir créateur primordial – ne faisons alors plus qu'UN.

Etonnamment, cet espace noir n'est pas associé au Dragon Noir mais au vide, au néant duquel toute matière peut devenir vivante. Cet espace se trouve au plus profond du hara et est actuellement connecté au Dragon de la Terre. Le seul moyen d'atteindre ce réel pouvoir de création, c'est de travailler intensément, profondément, avec les Dragons avant d'être autorisé à pénétrer l'œil du Dragon de la Terre avec, à nos côtés, Ishtar et les cinq spirales du hara tournoyant. C'est le cadeau-souvenir le plus précieux que les Dragons nous apportent. Elle/Il a gardé cette magie pendant des millénaires, attendant simplement que nous soyons prêts à la recevoir.

LES DRAGONS GARDIENS ET LES DRAGONS DU COEUR

Les Dragons Gardiens et les Dragons du Cœur sont la personnification des dragons de la planète. Ils ont pris une forme humaine et ils perpétuent encore la lignée des dragons à l'intérieur d'eux, dans leurs codes ADN. Dans un certain sens, nous le faisons tous, puisque toute l'humanité possède un dragon du hara, mais certains semblent avoir une connexion plus profonde avec eux, ou un rôle spécifique à jouer avec les énergies des dragons. A l'heure actuelle, beaucoup d'entre nous ressentons l'éveil d'affinités très fortes avec les dragons, car une connaissance plus concrète - en regard de la simple fascination historique – fait son apparition. L'art et le savoir des dragons peut être expérimenté, ce qui n'était pas le cas auparavant.

Ces individus portent la présence énergétique d'un dragon qui a dormi jusqu'à présent soit dans leur colonne vertébrale, soit dans leur cœur. Ceux qui avaient un dragon dans leur colonne sont surnommés les Gardiens. Alors que leur dragon commence à se réveiller, ils vivent souvent, pendant des mois, des douleurs étranges de toutes sortes dans leur colonne. Typiquement, ce genre de manifestation douloureuse n'est reliée à aucune blessure ou symptôme spécifique.

Ceci est dû au réveil du dragon, causé à la fois par l'élévation générale de lumière sur la planète et par le niveau de conscience de la personne. Ceux qui suivent un chemin de Conscience, sont spécialement lucides que quelque chose d'inexplicable est en train de se produire. Lorsque le dragon se réveille, il déplie tout doucement ses membres endormis. Cela se passe dans le champ éthérique ou énergétique du corps humain. Parfois, il arrive qu'un pied, une aile ou tout autre extrémité soit "coincée" dans le corps physique et se manifeste par un inconfort physique ou une forte douleur dorsale. D'habitude, si se sont les ailes qui bloquent, ceci arrive à la hauteur des omoplates, s'il s'agit des pattes, la région lombaire est concernée. La tête semble n'avoir jamais de problème à trouver l'issue dans la région courbe du haut du dos, sous la nuque.

Ces informations se propagent depuis environ deux ans, depuis que l'énergie des dragons augmente considérablement sur Terre. Beaucoup de gens portent un dragon dans leur colonne. Ce sont généralement des Elémentaux: dragon de la Terre, de l'Air, du Feu ou de l'Eau mais il peut s'agir de n'importe quel autre dragon d'Or, d'Argent, de Cuivre, Blanc, Noir ou de Cristal. Il peut aussi s'agir d'une autre sorte de dragon ayant existé sur terre au cours de l'Histoire et qui fait partie des douze dragons d'origine. Il n'y a pas non plus de genre spécifique: des hommes peuvent être des Gardiens pour des dragons femelles alors que des femmes sont susceptibles d'abriter des dragons mâles.

Une fois que le dragon est libéré, la personne aura tendance à expérimenter d'intenses progrès sur son chemin spirituel, des expériences sexuelles plus profondes et plus puissantes, des moments fusionnels ou d'extrême bonheur, aussi bien qu'une fascination pour tout ce qui est en relation avec les dragons (que la personne soit consciente ou non de sa connexion avec eux). Ceci englobe les tatouages, ou les anciennes marques claniques, représentant un dragon. Un nouveau sentiment de confiance en soi et de puissance dans la prise de décision apparaît également. A un certain point, ils sont également conscients de ne pas seulement être associés au dragon mais de personnifier un dragon.

Leurs contreparties énergétiques sont celles des personnes qui portent un dragon endormi dans leur cœur. Ils sont appelés les Dragons du Cœur ou les Dragons Cavaliers. Quand ce dragon se réveille, la première vision est celle d'une paupière magique qui s'ouvre et révèle un œil espiègle et coquin regardant de tous les côtés avec curiosité et un certain sourire dans le regard. Ces dragons s'étendent et remplissent l'espace du cœur apportant une douceur d'être qui s'infiltre dans la personne.

Ces deux, les Dragons Gardiens et les Dragons du Cœur fusionnent avec puissance dès qu'ils se rencontrent. Après avoir travaillé individuellement avec chaque dragon, certaines personnes ressentent leur propre dragon s'unir avec eux. Cette mêlée est comme les énergies de deux âmes-flammes. Nous savons qu'elles sont deux, mais une fois qu'elles s'unissent, il ne peut plus y avoir de réelle séparation, même si physiquement elles sont situées à l'opposé de la planète. C'est comme si elles avaient toujours été ensemble et en fait, elles l'étaient. C'est dans leur réunion que de profonds aspects du Dharma individuel et collectif peuvent être accomplis. Il existe une aide naturelle et un savoir inné de ce qui doit être accompli de façon individuelle et collective.

Faire l'amour avec le dragon qui est notre contrepartie énergétique mène spontanément à une expérience tantrique car, grâce à la puissance de la fusion, les spirales du hara sont alors instantanément activées. Même sans entraînement tantrique, ces énergies s'élèvent et ne peuvent plus être réprimées. Cet état crée un lien très puissant et un environnement parfait pour permettre aux enfants dorés de venir au monde par l'intermédiaire de ceux destinés à porter la nouvelle génération d'êtres totalement illuminés sur le plan de la planète Terre.

La sexualité nous porte dans une dimension caractérisée par des moments spontanés de sauvagerie et de force, comme si l'énergie des dragons, et non celle des humains, était en jeu. Les deux partenaires peuvent être conscients de ceci et ressentir une très profonde connexion avec cette expérience, même s'ils ne sont pas enclins à expérimenter le territoire au-delà de la 3e dimension.

Cet aspect débridé, sauvage, est une partie du cadeau que les dragons nous offrent; un retour à l'ancienne façon dont l'humain était relié à toutes les parties de lui-même comme à celles de l'univers, à tous moments. Le vrai travail d'Ishtar est celui-ci: ancrer dans notre corps le circuit des dragons, ce qui donne lieu à de magnifiques expériences orgasmiques du corps tout entier, tout en enracinant notre corps de lumière dans le plan physique.

LES ENFANTS ET LE RETOUR DE L'ARMÉE DES DRAGONS

Il y a parmi nous un groupe d'enfants qui a joué un rôle clé dans le réveil des énergies des dragons sur la planète. En 2007, en écrivant ce document, la plupart d'entre eux avaient entre 6 et 10 ans et étaient éparpillés à travers le monde entier. Doués et passionnés pour tout ce qui se rapporte aux dragons de près ou de loin, la plupart d'entre eux sont en résonnance avec la présence des dragons sur terre. Ils parlent et écrivent les langues des dragons, adorent les dessiner et à travers les livres, les films et autres jeux vidéos, ils ont joué un rôle important dans la réintroduction de la conscience des dragons dans le monde des adultes.

En discutant avec des parents de plusieurs de ces enfants, vivant éloignés les uns des autres, j'ai découvert des similarités distinctes et des informations sur ce que les bambins leur racontaient au sujet des dragons. Chaque enfant est très précis, clair, en ce qui concerne la personnalité de son dragon: à quoi il ressemble, ce qu'il peut faire et même son nom. Au fur et à mesure que l'énergie des dragons s'étend, se répand à travers la planète, ils sont de plus en plus au courant de ce qu'ils considèrent comme "leurs" dragons et ressentent leur présence encore plus fortement. De plus, ils se réfèrent à des chemins, des canaux qui s'ouvrent sur cette planète aux travers desquels les dragons peuvent maintenant se déplacer librement. Ceci, expliquent-ils, fait que leurs dragons sont aujourd'hui capables par exemple, de s'asseoir dans leur jardin plutôt que de n'être présent qu'énergétiquement.

Mais le fait le plus intéressant à mentionner, et que tous ont indiqué, est qu'une armée de Dragons était en train de se mobiliser pour guérir la Terre. Cette armée est essentiellement composée d'enfants éveillés qui sont tout à fait conscients de ce qu'ils sont et de pourquoi ils sont ici. Ces enfants, en gardant leurs connexions, sont capables de maintenir l'ancrage de leur corps de lumière dans le plan physique. C'est la plus grande aide qu'ils puissent apporter afin de casser, couper et élever les couches denses encore contenues dans cette 3e dimension dans le but que des vibrations plus élevées puissent être enracinées à l'intérieur d'eux. A condition que nous soyons prêts à l'accepter et à le reconnaître, ce sont toujours les enfants qui viennent nous apprendre et nous guider sur le chemin.

Les Dragons Gardiens et les Dragons du Cœur adultes, souvent parents d'enfants qui gardent en eux et personnalisent l'énergie des dragons, font également partie de cette armée. En outre, ces derniers ont joué un rôle primordial en se chargeant d'élever leur propre niveau de vibration. Ceux qui sont parents ont été assez conscients pour laisser leurs enfants connectés, au lieu de les plonger dans l'oubli que la plupart d'entre nous ont expérimenté et duquel nous devons nous sortir. Ils ont également voyagé à travers un processus actuel d'éveil et de remémorisation qui, tout en étant l'exemple vivant de comment se réveiller, peut aider et montrer le chemin à d'autres. Les enfants et les adultes qui personnifient les énergies du dragon créent ensemble une force magnifique pour amener le grande élévation de l'évolution de l'humanité dans le nouvel âge.

©Jaemin Kim

L'Aspect DU DRAGON

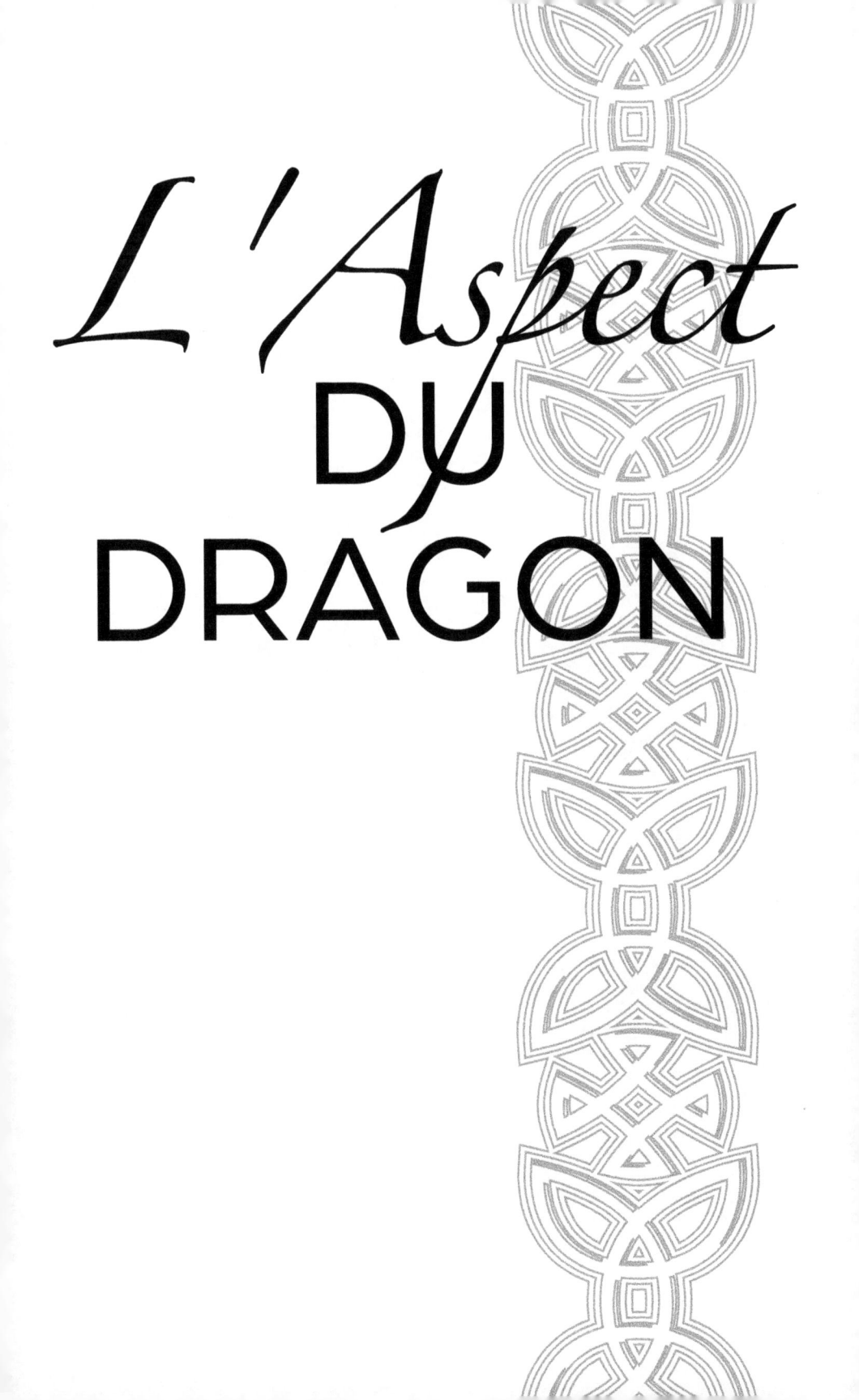

L'Aspect du Dragon

LA GÉOMÉTRIE DES ÉNERGIES DES DRAGONS: COMMENT NOUS RECEVONS L'ÉNERGIE SUR TERRE

Beaucoup d'énergies, y compris l'énergie des dragons, arrivent à nous depuis le Grand Soleil Central, par l'intermédiaire du système stellaire d'An, l'étoile centrale de la ceinture d'Orion. Comme toutes les énergies, elles peuvent être associées, visualisées comme des "super cordes" ou des cordes vibrantes en connexion avec toutes les parties de la création. Pour certains, il est plus facile de se les représenter telles les ondes de son engendrées par la musique. Plus les niveaux de vibration sont élevés, ou plus les notes sont aiguës, plus les ondes sont courtes et rapides, alors que celles des niveaux plus bas s'allongent et ralentissent. Donc, à chaque niveau vers le bas, les ondes deviennent de plus en plus longues et de plus en plus lentes.

De même, de façon à être perçues et utilisées par l'humanité, les énergies cosmiques qui arrivent pour nous aider, y compris celles des dragons, passent par une série "d'escaliers descendant" et ce dès qu'elles atteignent le plan physique de la planète pour finalement rejoindre la densité la plus basse du chaos associé à Tiamat, la mère de la forme. Elles nous parviennent au niveau le plus haut que nous puissions atteindre afin de les recevoir. A son tour, le retour à des niveaux de hautes vibrations (notre évolution), requiert une libération ou une dissolution des plus bas niveaux chaotiques et une intensification vibratoire.

Les énergies des dragons venant d'An sont tout d'abord triangulées au plus haut niveau avec les dragons interdimensionnels de Cuivre, d'Or et d'Argent associés respectivement aux trois étoiles de la ceinture d'Orion: El (Alnitak), An (Alnilam) et Ra (Mintaka). Le niveau suivant se passe dans l'espace d'une trinité des Dragons intergalactiques de Lumière créée entre les Archanges Métatron – associé au Dragon de Cristal, Michael – au Dragon noir et Melchizédek – au Dragon blanc.

La configuration de l'étoile de David à 6 sommets qui en résulte transmet les énergies aux quatre Dragons Elémentaux de la planète: feu, air, terre et eau. Pour la plupart des êtres humains ce sont les associations personnelles les plus fortes. Chacun d'entre nous a une affinité spécifique avec l'un des ces quatre éléments, en particulier et cela même si nous pouvons accéder à toute les énergies et les utiliser dès que nous en avons la capacité et la conscience.

Lorsque nous, humains, nous nous réunissons, en groupe, unis par le son, la lumière et le pouvoir de l'Amour de chaque Dragon élémental que nous portons, nous pouvons alors unir nos intentions dans une danse commune. De cette façon, nous pouvons atteindre la trinité énergétique des Dragons qui nous maintient dans la 3e dimension, et permettre à ces énergies de se libérer et de se dissoudre. Cette trinité est formée par les dragons du Chaos connus historiquement au Tibet et à Sumer et par la mère de la forme, Tiamat, qui se tient enveloppée autour du centre de la terre, cachant la grotte sacrée et le centre de création de Gaïa.

C'est en se dissolvant dans le pouvoir de l'amour qu'un nouveau niveau de Création peut commencer sur la planète. Lorsque l'utérus de Gaïa n'aura plus besoin d'être caché, sa grotte sacrée pourra être réveillée et ses spirales activées permettant un retour à sa Divine Féminité.

Lorsque l'on travaille avec les énergies des Dragons, il est important de commencer au niveau des Elémentaux qui incarnent les formes d'énergie ondulaires les plus longues et les plus lentes, réduites à des fréquences avec lesquelles nous pouvons travailler. Les Dragons Elémentaux posent les fondations qui permettront d'entreprendre le voyage qui amène à nous reconnecter consciemment à nos corps de lumière. Le travail de ces êtres d'exception nous ouvre d'anciens sentiers, oubliés depuis longtemps au fond de nous. Ces chemins deviennent les lieux qui, une fois nettoyés, seront nos points de connexion avec notre corps de lumière.

Une fois que vous avez terminé le travail avec les Dragons Elémentaux, le niveau suivant consiste à travailler avec les Dragons Blancs et Noirs pour finalement compléter cette trilogie avec le Dragon de Cristal. Ces trois-là travaillent avec l'étape suivante, supérieure en vibrations, que vous allez alors être prêts à recevoir. A l'intérieur de cette trinité vous expérimentez le premier niveau de connexion tangible avec votre corps de lumière.

Une fois que les anciens points de connexion sont rétablis, travailler avec les Dragons interdimensionnels d'Or, d'Argent et de Cuivre, à des fréquences même supérieures, permettra des niveaux plus profonds d'ancrage du corps de lumière, nous permettant donc de maintenir, en tout temps, la connexion avec le plan physique, d'intensifier graduellement nos niveaux vibratoires, et même d'accéder à des octaves ou à des dimensions supérieures, et les Dragons et Etres qui leur sont associés. Vous pouvez commencer à comprendre pourquoi il est important de travailler avec eux dans l'ordre.

Une fois connectés, nous avons accès, au-delà du plan physique, à une énorme quantité d'informations, de communications et nous pouvons devenir les co-créateurs avec le divin que nous sommes sensés être. A ce point, un travail en profondeur peut être réalisé à l'intérieur de l'œil du Dragon, le plus haut niveau de travail qui puisse être effectué avec les Dragons. Pénétrer dans l'œil du Dragon amène nos pouvoirs et notre puissance de manifestation à un niveau de conscience très réelle. On peut accéder à l'œil de chaque Dragon élémental. Chacun d'entre eux nous invite à y entrer et nous offre un cadeau qui nous aidera à manifester et à créer d'une façon puissante et consciente. Regarder dans l'œil du Dragon est une préparation en soi. N'ayez pas peur mais honorez plutôt cette occasion comme un signe que vous êtes prêts à travailler avec eux.

LA GÉOMÉTRIE DES ÉNERGIES DES DRAGONS

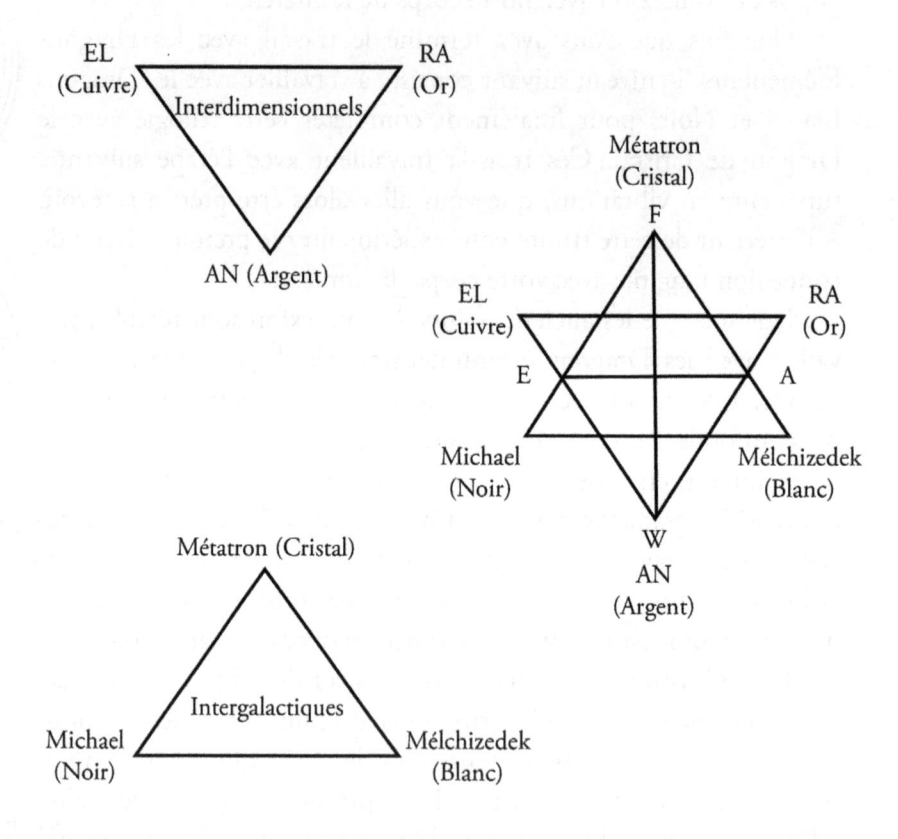

```
        EL                      RA
     (Cuivre)                  (Or)
            Interdimensionnels

                                    Métatron
                                    (Cristal)
                                       F
          AN (Argent)
                              EL                RA
                           (Cuivre)            (Or)
                                 E        A

                            Michael         Mélchizedek
                            (Noir)           (Blanc)
                                      W
                                     AN
                                   (Argent)

        Métatron (Cristal)

                  Intergalactiques
      Michael                    Mélchizedek
      (Noir)                      (Blanc)
```

34

```
Feu            Air
  ┌─────────┐
  │Elémentaux│
  └─────────┘
Terre          Eau
```

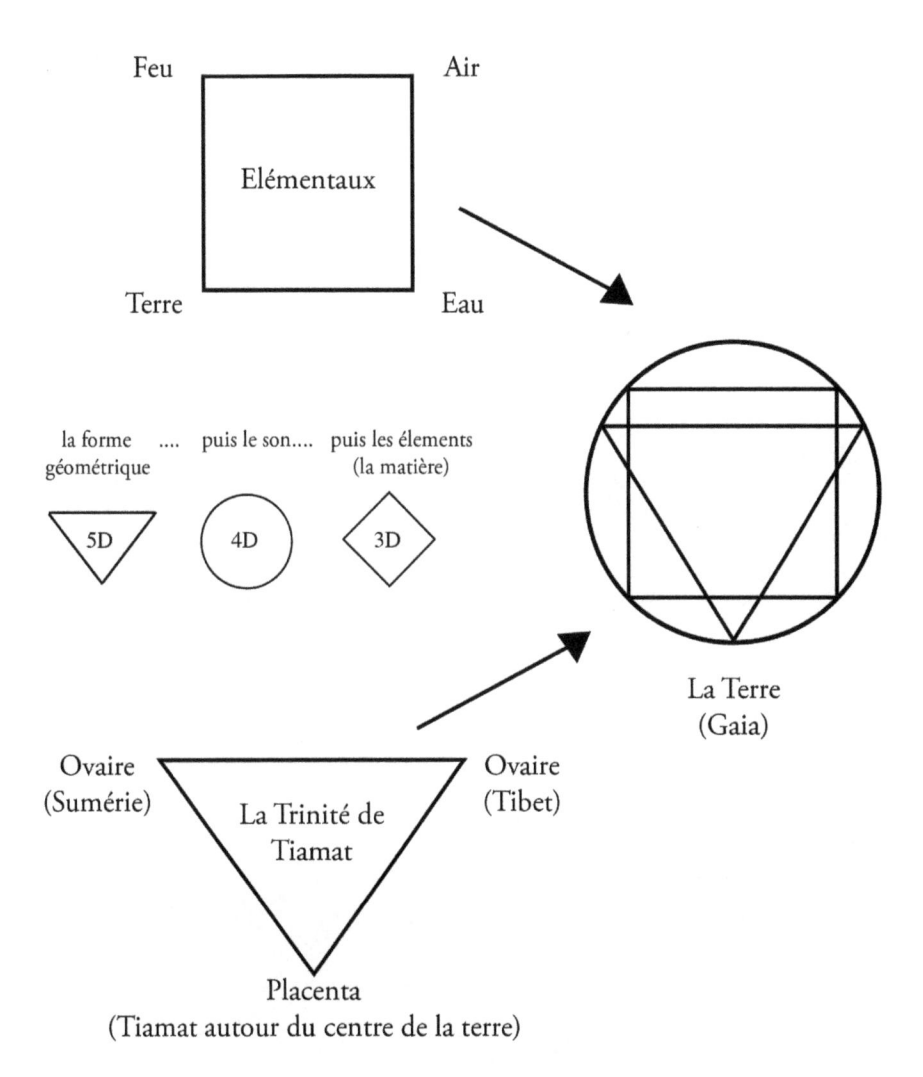

la forme .... puis le son.... puis les élements
géométrique   (la matière)

  5D   4D   3D

La Terre
(Gaia)

Ovaire   Ovaire
(Sumérie)   (Tibet)
        La Trinité de
           Tiamat

        Placenta
(Tiamat autour du centre de la terre)

Les Dragons de MU

Les anciens Dragons de Mu ont participé à la création initiale de la terre. Une planète était née et les différentes couches de création qui suivirent se sont poursuivies durant de millions d'années: en terme scientifique ceci se nomme "évolution". Des cycles et des cycles de civilisations ont été créés et détruits, incapables de gagner le niveau de conscience cordial nécessaire à l'ancrage du corps de lumière de Gaïa, ce qui représente un passage crucial dans cette évolution. Des civilisations très grandes et très évoluées sont venues et reparties car elles avaient manqué une clé ou une autre qui aurait permis à la planète tout entière de retrouver la Lumière.

A la naissance de la planète, la géométrie universelle de "douze autour d'un" dans l'expansion de toute forme, a été créée au travers du Centre de Cristal et augmentée afin de créer les douze Dragons de Mu – les supports physiques de la forme de la terre elle-même. Ces Dragons étaient l'émanation d'êtres de très haute conscience qui évoluent dans cette co-création. Ils se sont d'abord manifestés par les deux paires mâles et femelles des Dragons Noirs et Blancs en trinité sacrée avec le Dragon de Cristal. Plus tard, l'expansion a atteint douze lorsque sont venues les quatre paires de Dragons Elémentaux.

Avant de prendre forme, il y eu un accord parmi les Dragons de Mu afin d'être les Gardiens de la Terre en collaboration avec Tiamat, la mère de la forme. Tout d'abord, la Terre aurait à se manifester dans le monde physique de la 3e dimension, puis sa conscience, connue sous le nom de Gaïa, pourra être appelée à venir.

Tiamat aura alors à accoucher de la Terre avant de devenir son Gardien. Elle a été et est le placenta sacré de la naissance de Gaïa – la mère et l'endomètre – maintenant en place un processus conscient de naissance et conservant la connexion de Gaïa avec le cordon ombilical de son corps de lumière, et ceci durant des milliards d'années. De cette façon, une fois que la connexion est dissoute, le processus de naissance de Gaïa sera accompli. Comme pour tout enfant à qui il est permis de vivre une telle naissance consciente, elle aura la mémoire et la maîtrise de sa connexion avec Tout ce qui Est.

Les douze êtres dévolus à devenir les douze Dragons de Mu acceptèrent de tenir en place la première couche de forme autour du cœur de Gaïa et ceci pendant les milliards d'années nécessaires à ce que les civilisations de la planète soient prêtes à aider Gaïa à ancrer son propre corps de lumière. Le concile des douze a été précis et formel sur le fait qu'il ne serait pas à nouveau convoqué avant le moment opportun.

En fait, ces douze Dragons étaient destinés à aider à détruire et à dissoudre des civilisations si les choses tournaient mal. Grand nombre de désastres et de catastrophes telluriques qui ont complètement détruit des civilisations, comme celles de Lémurie ou de l'Atlantide, ont été causé par les timides mouvements de ces douze géants. Ils résident dans les plaques tectoniques de la croûte terrestre avec, la plupart du temps, leur colonne vertébrale et leur queue longeant les bords de la plaque, à la frontière avec d'autres plaques.[2]

Cela fait des millions d'années que ces plaques se poussent, se repoussent l'une et l'autre, formant les chaînes de montagnes, les

---

[2] La carte de 1994 de la "National Geographic Society Physical Map of the World" est la meilleure carte permettant de visualiser ce phénomène car elle détaille autant les arrêtes montagneuses des plaques terrestres que sous-marines que la disposition des plaques sur le globe.

océans et les failles qui font partie de notre géographie globale. La plupart des bouleversements de ce type ont été causés par une évolution naturelle, mettant des milliers d'années à se produire, engendrés par le moindre mouvement de la croûte, causant un tremblement de terre ou une vibration du terrain, provoquant la naissance de vagues depuis le sol sous-marin, ce qui parfois engendra des Tsunamis ou des raz-de-marées lors de leur collision avec le sol terrestre. D'autres, bien plus dévastateurs, ont été initiés par les Dragons.

Lors de la tenue du dernier Concile, avant la mise en forme de la Terre, la femelle du Dragon de l'Eau a été élue par le Concile, non seulement pour être responsable de la forme humaine et transmettre les informations venant des Dragons, mais aussi pour convoquer le Concile. Cela signifie que lorsque la fin d'une ère arrive, elle doit s'incarner en forme humaine et si les progrès de l'évolution humaine le permettent, convoquer le Concile. L'humanité prête, elle peut réunir le Concile par son appel.

Cet appel serait répercuté à travers le cœur de la terre et tous les Dragons l'entendraient et comprendraient qu'il est temps de se réunir à nouveau. La Dragon de l'Eau femelle saurait qu'il est l'heure par un signe émanant de l'humanité, lorsque qu'un certain niveau de Lumière et d'engagement serait atteint dans la masse de conscience. Alors, toute chose s'alignerait sans efforts afin de la placer au bon endroit, au bon moment pour envoyer le code.

Non seulement le Concile se réunirait pour la première fois depuis des milliards d'années, mais il faudrait encore qu'une décision unanime soit prise pour avancer selon les anciennes informations et établir jusqu'à quel point l'humanité aura besoin d'être assistée - ou secouée - afin de s'unifier vraiment. En fait, le Concile s'est réuni en septembre 2007. Cet accord a été conclu car l'humanité avait surpassé les niveaux de lumière attendus. Elle n'aurait besoin que de faibles secousses pour progresser.

Beaucoup d'humains profondément connectés à ces lignages ressentent l'agitation de quelque chose d'ancien, de profond et d'inexplicable au fond d'eux. D'autres incarnent eux-mêmes les aspects particuliers à certaines lignées de dragons et commencent à ressentir une attraction pour ces créatures, incertains de cette nouvelle fascination à leur égard mais convaincus de leur pouvoir. Ceci est essentiellement amené par les enfants Dragons. Leurs jeux et l'envoûtement qu'ils ont pour les dragons sont apportés dans les ménages, particulièrement dans ceux dont les parents sont eux-mêmes issus d'une lignée de dragon.

Certains expérimentent des connexions avec les centaines de types de Dragons qui sont nés depuis la création des Dragons de Mu. Tous sont originaires – selon leur arbre généalogique - des mêmes familles et il y en a eu beaucoup avant d'être chassés et exterminés par la peur: depuis les lézards, les salamandres en passant par la race des grands lézards de Komodo, jusqu'aux dragons qui couvent notre planète depuis des milliards d'années. Ils ont été tellement mal compris que lorsque ils ne furent pas massacrés ils disparurent. Vous pouvez donc vous sentir en connexion avec un dragon qui n'est pas mentionné dans ce texte – dragon rose, arc-en-ciel, noir et or, rouge, turquoise… vous pouvez également expérimenter, tout autour de la terre, des dragons qui sont les Gardiens de régions spécifiques et qui se réveillent tout juste. Pour tous, leur généalogie remonte aux douze dragons originels qui sont ceux dont nous avons besoin pour accéder au travail qui doit être fait. Quel que soit le moyen par lequel vous découvrirez cette connexion, il s'agit d'un travail ancien et réel qui facilitera votre voyage de retour à la maison.

Les Dragons Elémentaux

Il y a quatre Dragons Elémentaux sur le plan terrestre: Terre, Air, Feu et Eau. C'est avec eux que la plupart d'entre nous ressentent la plus forte attraction. Chacun d'entre nous partage une affinité particulière avec l'un de ces quatre, et ce même si nous pouvons accéder et utiliser toutes les énergies dès que nous en prenons conscience et que nous avons la possibilité de le faire. La profonde relation que nous ressentons avec l'un ou l'autre des Dragons Elémentaux n'est pas nécessairement en lien avec notre signe astrologique. Une balance, par exemple, considérée comme un signe d'air, peut être influencée le plus par le Dragon de l'Eau.

Ces Dragons sont en lien avec les réseaux d'énergie des Dragons dans notre corps physique et, en tant que tels, notre connexion avec notre propre expansion dans la liberté et la pleine conscience du monde matériel. En se connectant à eux, en fusionnant avec eux, les Dragons Noirs et Blancs peuvent être réunis ce qui mène à notre expansion par le biais du Dragon de Cristal et nous projette dans les réseaux de transmission interdimensionnels des Dragons à travers le cœur de la planète et Métatron.

Il y a un équilibre naturel dans la géométrie des Dragons dès que nous l'utilisons et que nous y fusionnons. Cet équilibre ne se trouve pas seulement dans la fusion des aspects mâles et femelles d'un type particulier de dragon car d'autres paires peuvent s'associer. Les Dragons de la Terre et de l'Air, par exemple, se réunissent tout comme les Dragons du Feu et de l'Eau. Pour travailler avec de multiples Dragons, il est vraiment utile de travailler soit avec une énergie déjà fusionnée (mâle/femelle) de chaque type de Dragon (Terre, Air, Feu et Eau) ou de travailler avec, par exemple, le mâle Terre et la femelle Air ou avec la femelle Eau et le mâle Feu. Il y a divers aspects qui doivent être ancrés et expérimentés avec l'énergie mâle et femelle de chacun et le travail des deux ensemble comme décrit dans la section "travail avec de multiple Dragons ensemble". Cependant, vous devez débuter par le travail avec les Dragons en travaillant d'abord avec chacun d'entre eux individuellement, vous focalisant soit sur l'aspect mâle soit sur l'aspect femelle.

C'est par l'intermédiaire du son, de la respiration, du mouvement et en s'attelant au flux de l'énergie sexuelle que nous sommes en connexion avec les Dragons, que nous les sentons s'éveiller en nous. Dès que nous sentons le Dragon Intérieur s'éveiller en nous, respirer à travers nous cela signifie que nous ressentons également de nouvelles transformations. La respiration se modifie, elle devient plus rauque, profonde, pleine et chaude… les yeux clignent s'ouvrant par intermittence et nous regardons le monde sous un jour nouveau comme si nous le voyions pour la première fois, ressentant le Dragon regarder au travers de nos yeux. Le corps commence à se balancer et à se mouvoir spontanément. Il s'étire de façon inaccoutumée comme si les muscles et les articulations avaient été immobiles durant des millions d'années.

Travailler avec les Dragons permet à de nouveaux circuits de se mettre en fonction ce qui génère de la chaleur dans tout le corps nous signifiant leur présence. Lorsque ces quatre se réveillent en nous et fusionnent, nous pouvons alors accéder à un niveau plus profond avec les Dragons Blancs et Noirs.

Commencez à travailler en imaginant les quatre Dragons devant vous et choisissez le Dragon qui vous inspire, vous parle le plus. Prenez du temps avec un seul d'entre eux. Ancrez-le profondément en vous et fusionnez avec lui avant de travailler avec un autre Dragon. D'abord, écoutez le mantra du Dragon que vous avez choisi. Assurez-vous du bon rythme et de la prononciation correcte, puis passez du temps à le chanter. Une fois que vous aurez passé du temps à chanter le mantra pour vous-même, vous pouvez aller plus loin en écoutant en boucle la piste du CD. Comme cela, pendant que vous vous enfoncez dans votre espace intérieur en présence du Dragon, vous aurez toujours le mantra en fond sonore.

Il est important de chanter à haute voix le mantra, et non seulement à l'intérieur de vous, afin de ressentir l'expulsion de l'air lors de l'expiration et le Dragon qui s'y élève. Laissez les mouvements s'accomplir librement depuis cet espace à travers tout le corps. Le Dragon de la Terre, par exemple, peut se mouvoir différemment dans chaque corps alors que son expiration correspond à celle décrite. Laissez cette partie être organique et créative… c'est l'une des clés des Dragons. Si vous vous sentez attiré pour danser avec eux, alors dansez.

Une fois qu'un espace de connexion profond a été atteint, affinez votre ressenti afin de savoir si vous êtes en lien avec l'aspect masculin ou féminin de ce Dragon élémental. Le premier aspect à être connecté révèle un lien très fort entre vous et lui, ce sera comme la pierre angulaire de votre expérience. Les femmes peuvent être les gardiennes de Dragons masculins tout comme les hommes peuvent garder des énergies féminines.

Pour chaque élément, il y a des expériences différentes avec les aspects mâles et femelles et d'autres circuits énergétiques du corps sont activés. Lorsque vous avez travaillé avec tous les deux individuellement, vous pouvez établir votre intention de les réunir, en vous. Cette fusion est une expérience très puissante quel que soit le Dragon avec lequel vous l'accomplissez. C'est comme expérimenter un couple de dragon faisant l'amour de manière extatique autour de nous, dans nous et à travers nous. Ils jouissent joyeusement bruyamment en nous, comme vous allez le faire vous-même.

Vous pouvez faciliter le travail avec ces énergies en visualisant ou en portant sur vous le symbole du Dragon avec lequel vous travaillez. Vous pouvez faire la même chose avec une pierre ou du métal qui lui est associé. Ceci renforce les connexions et facilite l'accès aux énergies, spécialement si vous travaillez seul. Travailler, respirer et chanter en groupe, comme méditer, apporte une énergie exponentielle au flux d'énergie nous parvenant.

Une fois que la connexion avec les Dragons a été faite, il se peut que, durant votre sommeil, vous expérimentiez spontanément le travail avec les Dragons. Ils aiment travailler dans l'état où nous nous trouvons durant la phase de sommeil paradoxal car nous sommes alors totalement ouverts et calmes. Ne vous inquiétez pas si vous ne vous souvenez de rien au réveil. Essayer simplement de vous rappeler avec quel Dragon vous avez travaillé. Vous pouvez aussi tenir un journal de vos rencontres, ce qui permet de garder des références.

Votre travail avec les Dragons Elémentaux est la première étape de connexion et de réveil des anciens chemins à l'intérieur du corps, ainsi que la fondation pour l'ancrage éventuel du corps de lumière dans la matière, ce que les Dragons Interdimensionnels vous apportent. Prenez votre temps, comme vous le feriez pour bâtir n'importe quelle autre fondation. Ceci permettra au travail suivant d'être, non seulement plus profond, mais également possible car les Dragons ne travailleront pas avec vous si vous n'êtes pas correctement préparés.

Ceci s'applique spécifiquement au réel cadeau que les Dragons Elémentaux vous offrent lorsque vous arrivez au niveau du travail dans l'œil du dragon. Le travail dans cette dimension permet d'atteindre notre co-créativité divine, de regagner l'accès aux courants de la conscience divine et donne les clés pour des manifestations conscientes afin d'apporter l'Esprit dans la matière. Cela vaut la peine de prendre du temps pour établir des bases solides et arriver à ce niveau.

LE DRAGON DE LA TERRE

- » Associé à Ishtar
- » Fonction: active les flux d'énergie brute, orgasmique dans le corps et ancre la manifestation dans le physique
- » Pierre: moldavite

- » Métal: cuivre
- » Mantra: Mee Tu Am Na Hey Rua (Mii Tou Ame Na Hé Roua)

C'est le Dragon de la Terre qui détient le pouvoir le plus puissant pour enraciner entièrement notre corps de lumière dans la matière et pour ancrer également nos intentions, nos créations, dans le plan physique. Il/elle est une magnifique créature dont la forme s'apparente à celle du serpent avec de profondes couleurs brun-vert. Elle vit sous la surface terrestre. Le Dragon de la Terre mâle, de Mu, réside en Amérique du Sud, s'allongeant de l'Argentine aux îles des Caraïbes alors que sa contrepartie féminine couvre la plus grande partie de l'est de l'Australie, sa queue se déroulant jusqu'aux fosses du profond océan, à l'est de l'Asie.

Pour travailler avec les Dragons de la Terre, asseyez-vous confortablement. Imaginez que l'on vous conduise dans une petite grotte, au plus profond de la Terre. Une faible luminosité éclaire les lieux mais vous ne percevez pas d'où elle provient. Vous vous asseyez au milieu de la grotte et commencez à respirer. Lorsque la respiration devient râpeuse et grave, comme celle d'un dragon, commencez à chanter le mantra profondément en accentuant fortement l'expiration. Le mantra en entier doit être chanté à l'inspire et à l'expire, formant un son continu.

Demandez à votre guide intérieur si vous préférez d'abord appeler le Dragon mâle ou plutôt le Dragon femelle ou alors laissez simplement l'un des deux se présenter à vous. Si vous avez déjà travaillé avec les deux, vous pouvez leur demander de s'unir en vous.

Vous verrez qu'en travaillant avec le mâle, votre respiration aura tendance à se diriger vers le sol de la grotte et votre corps pourrait se balancer d'un côté à l'autre en formant un huit dans un mouvement serpentin. Lorsque l'énergie s'intensifie et que le mantra est prononcé avec de plus en plus de puissance, vous ressentez l'énergie descendre par-dessus vos épaules et aller jusqu'aux tendons postérieurs de la cuisse, comme si le Dragon se tenait derrière vous, soufflant dans votre dos. Ce sont les canaux qu'il ouvre pour nous. Ils transmettent la puissance physique et l'enracinement ainsi que l'ancrage de nouvelles manifestations, des nouvelles créations que vous essayez d'amener dans votre réalité physique.

Quand vous êtes prêts à travailler avec la femelle Dragon Terre, elle guide votre respiration dans un mouvement circulaire et envoie votre souffle, lors de l'expire, en direction de la voûte de la grotte. Tournant votre tête dans le sens contraire des aiguilles d'une montre, aspirant le mantra dans la courbe descendante (de 9h00 à 3h00 en sens inverse des aiguilles d'une montre) et expirant dans le mouvement asscendant, tout en chantant le mantra lorsque la tête s'arque gentiment sur la courbe en haut du cercle. Ceci crée un vortex énergétique qui transporte avec lui les créations afin qu'elles soient maintenues, comme un œuf, à la base de l'abdomen, directement devant le hara. Vous ressentirez les circuits énergétiques s'ouvrir sur le devant du corps, depuis les muscles pectoraux, au travers de la poitrine puis jusqu'à la hauteur des mi-cuisses.

Le mâle nous donne le pouvoir dans un sentiment de connaissance et de certitude, de sécurité dans la prise de position dans ce monde alors que la femelle nous offre un regain de confiance et d'estime de soi (la sureté des décisions pour soi-même vis à vis des autres). Tous deux aident à ancrer la partie centrale de notre corps de lumière depuis le centre du corps physique jusqu'à la totalité du torse. Ceci se manifeste en offrant un sentiment de légèreté tout en se sentant beaucoup plus enraciné, plus solide.

Continuez à réciter, à respirer le mantra en essayant de synchroniser vos inspirations et vos expirations avec celles du Dragon de la Terre. Maintenez la cadence pendant au moins dix minutes en vous concentrant sur les sentiments, les sensations qui, en rythme, montent et descendent dans votre dos ou votre torse selon les aspects avec lesquels vous êtes en train de travailler. A un certain point, alors que vous bougez dans un espace très profond, vous pouvez autoriser le mantra à être intérieur, dans un processus non-verbal. La respiration restera lourde, profonde en synchronisation avec celle du Dragon de la Terre.

Le plus longtemps vous resterez dans cet exercice, les plus vivants et étendus seront les chemins qui s'ouvrent. Vous ressentirez leur réveil par de légers picotements. Travaillez individuellement avec les

Dragons mâle et femelle avant de les faire s'unir en vous. Le plus vous travaillerez avec eux, le plus vous ancrerez cette énergie en vous et plus il sera facile de maintenir ces canaux ouverts et fluides. Cela commencera à se manifester dans la sureté avec laquelle vous prendrez des décisions. Vous aurez une excellente estime de vous, à tous moments.

Avant d'en arriver là, vous pouvez les utiliser de façon très pratique afin de stimuler ces aspects jusqu'à ce qu'ils soient totalement ancrés. Il serait utile, par exemple, de travailler avec le Dragon mâle avant de prendre une décision qui concerne votre propre vie. De façon similaire, ouvrez les canaux du Dragon de la Terre femelle avant d'effectuer quelque chose qui vous rend nerveux comme devoir parler en public, affronter un entretien d'embauche ou rendre visite à votre belle-famille.

Après avoir travaillé avec les deux aspects masculin / féminin du Dragon de la Terre, vous ressentirez peut-être le besoin de les fusionner en vous. Afin que cela se produise, commencez de la même façon puis, individuellement, mettez-les en place, l'un après l'autre, dès que vous sentez les sensations familières d'ouverture de leurs chemins et que ces derniers sont ouverts et activés sur la face et le dos du torse. Puis, demandez-leur de s'unir en vous et continuez à respirer et à chanter intérieurement avec eux jusqu'au moment où vous sentez qu'ils avancent l'un vers l'autre.

La fusion va ouvrir d'autres canaux dans le torse, reliant des points clés de la face et du dos de notre buste, spécialement dans la région du hara. Quand ces connexions sont réactivées pour la toute première fois, vous pouvez ressentir comme une explosion interne ou un orgasme du corps entier. Restez dans la respiration aussi longtemps que vous le pouvez afin d'approfondir et ouvrir encore plus fortement ces connexions. Laissez-vous emporter par l'extase de cette expérience sachant que ce bonheur est l'héritage de votre naissance divine et que tous les êtres de l'univers jouissent avec vous lorsque les points d'ancrage de votre corps de lumière s'amarrent.

A la fin de chaque session avec les Dragons de la Terre, laissez le mantra s'éteindre, votre respiration redevenir normale et restez assis dans la grotte le temps d'intégrer tout cela. Remerciez les Dragons pour le travail accompli avant de retourner à votre vie courante.

LE DRAGON INTÉRIEUR

LE DRAGON DE L'AIR

- » Associé à Kwan Yin
- » Fonction: principal véhicule par la compassion dans la conscience
- » Pierre: ambre et topaze jaune
- » Métal: laiton
- » Mantra: Mee Ru Ah Tu Nay Ah Oh (Mii Rou Ah Tou Né Ah Oh)

Les Dragons de l'Air créent d'énormes vortex entre le ciel et la terre afin de transférer consciemment l'information et l'énergie entre ces deux. Cela crée des bouleversements et des purifications sur une très large échelle, autant au niveau personnel que planétaire. Les tornades et les typhons naissent des Dragons de l'Air dans le but d'élever le niveau de conscience des régions où l'énergie est dense. Ils cassent, transforment et imprègnent ces endroits d'une nouvelle conscience, d'un sentiment nouveau d'appartenance à une communauté.

Physiquement, les dragons de l'Air sont puissants, ils possèdent un large corps et de grandes ailes les deux de couleur jaune-orange. Le Dragon de l'Air mâle de Mu se trouve le long de la côte est de la Chine et s'étend jusqu'aux territoires septentrionaux de la Sibérie. La femelle quant à elle, tient en forme les régions situées à l'est des Etats-Unis, des Appalaches aux îles Elisabeth du Canada.

Lorsque vous travaillez avec les Dragons de l'Air, visualisez-vous assis sur un nuage, à mi-chemin entre ciel et terre. Commencez à entonner le mantra et ressentez votre tête s'incliner verticalement soit en direction du ciel, soit de la terre. Si votre visage regarde vers le haut, vous travaillez avec la femelle. Naturellement, votre tête va se mouvoir en sens inverse de celui des aiguilles d'une montre, comme si vous dessiniez un large cercle avec votre respiration en voulant atteindre les cieux. Au fur et à mesure que vous récitez le mantra, un grand vortex va s'ouvrir vers le haut et vous allez progressivement le ressentir s'accroître en vitesse et en volume créant comme un entonnoir surgissant de votre chakra coronal. Ceci est la voie directe pour qu'une nouvelle conscience arrive dans votre corps de lumière lorsque celui-ci est totalement ancré. Vous allez commencer à travailler avec cela quand vous pénètrerez dans l'œil du Dragon de l'Air.

En travaillant avec le dragon de l'Air mâle, vous ressentirez aussi votre respiration effectuer des cercles dans le sens inverse des aiguilles d'une montre, encerclant la terre et formant un vortex similaire mais totalement symétrique à celui de la Dragon de l'Air femelle, partant de la terre pour joindre le chakra racine. Ce processus va amener une montée subite de communication entre les chakras du bas et le cœur de la Terre.

Continuez à émettre le mantra et à respirer dans le vortex, le fortifiant et le faisant tourner de plus en plus vite, plus largement, jusqu'à ce que vous ressentiez un pilier d'énergie pénétrer dans le cœur du vortex soit par le haut, soit par le bas. A l'instant où cette colonne survient, vous ressentirez naturellement le besoin d'arrêter de chanter le mantra pour vous laisser absorber par un espace méditatif, à l'intérieur du vortex.

Que ce soit avec la femelle au chakra coronal ou avec le mâle au chakra racine, sentez la colonne d'énergie descendre, respectivement monter, dans la colonne vertébrale et ce aussi loin qu'elle veuille pénétrer. Elle devrait s'arrêter juste au-dessus ou en-dessous du chakra cordial. Il vous faut travailler avec l'un et l'autre des Dragons de l'Air individuellement et atteindre cette sensation avant de les unir en vous. Restez en état de méditation au cœur du pilier d'énergie, ressentez ses pulsations à l'intérieur de votre colonne s'étendre et ouvrir les anciens chemins de cette énergie. Lorsque vous sentez que l'intensité se dissipe, ramenez votre attention sur votre corps physique et l'espace autour de lui.

Quand vous vous sentez prêts à fusionner les deux Dragons, commencez de la même façon, amenant d'abord l'aspect femelle ou mâle. Une fois que le vortex tourne à grande vitesse, répétez le mantra et respirez de manière à faire venir le Dragon opposé. Les deux ensemble créent une configuration en forme de sablier avec vous au centre, les deux parties tournoyant toutes deux dans le sens inverse des aiguilles d'une montre se rencontrant au milieu du "sablier".

LE DRAGON INTÉRIEUR

Amenez votre respiration au centre, continuez d'émettre le mantra et visualisez les vortex tournant simultanément de plus en plus haut, de plus en plus amplement et de plus en plus vite. Vous allez expérimenter les piliers d'énergie entrer des deux côtés du "sablier" et commencer à se diriger l'un vers l'autre à l'intérieur de votre colonne vertébrale. Poursuivez l'émission du mantra aussi longtemps que vous le pouvez tandis que les deux Dragons poursuivent le chemin vers leur rencontre.

Lorsque tous deux s'unissent, il y aura un tintement et une sensation d'ouverture tout au long de la colonne, un peu comme une montée de Kundalini, mais en plus puissant. Cet exercice risque de vous étourdir, de ce fait il est conseillé de l'effectuer dans une posture assise et d'avoir à portée de main un petit plat de nourriture pour vous ancrer après l'exercice. Le pain et le chocolat sont excellents pour cela. Plus vous pratiquez, plus vous ouvrez de chemins et moins vous ressentez les effets secondaires.

Restez dans cet exercice aussi longtemps que vous le pouvez avant de ramener votre attention sur votre corps et le lieu autour de vous. Asseyez-vous tranquillement afin d'intégrer lentement les nouveaux niveaux d'énergie qui palpitent au travers de votre colonne et du circuit énergétique des chakras. N'essayez pas de vous lever trop vite ou de vous précipiter à vos affaires quotidiennes. Planifier cette séance en vous accordant largement assez de temps pour ressentir cette énergie et la laisser vous imprégner. Vous trouverez votre propre rythme pour cela.

LE DRAGON DU FEU

- » Associé à Isis
- » Fonction: fournir les ressources servant à l'expression et à la manifestation
- » Pierre: cornaline
- » Métal: fer
- » Mantra: Bah Tu Haa   Beesh Tau

Hay (Bah Tou Haa Biiche Ta Ou Hé)

Le Dragon du Feu enflamme le noyau, brûle nos peurs, nos blocages et les anciens blocs karmiques stockés dans les chakras du bas. Ceci inclut le nettoyage des traumas liés à la naissance, les débris de substances chimiques encore présentes dans notre corps du fait d'être nés inconscients des pratiques qui ont ont lieu au cours des millénaires précédents. Nous avons tous accumulé de très réelles substances biochimiques dans nos corps de vie en vie. Elles proviennent des souffrances, des peurs, des angoisses d'avoir été les victimes lors de nos précédentes expériences de vie. Ainsi, le Dragon du Feu est un allié puissant avec lequel le travail est intense. Cette méditation doit être entreprise en toute connaissance de cause et en étant prêt à faire face à ses démons.

Cet être ailé, menaçant, vous conduit dans les parties les plus noires de vous-mêmes afin d'en prendre conscience et de les amener vers la lumière. Lorsque vous êtes prêts à vous engager dans cette démarche, Il/Elle est votre meilleur allié afin de manifester les choses dans une dimension physique. C'est par cette volonté de parcourir la noirceur, volonté alimentée par la divine torche de l'Amour, et en dansant au travers de nos illusions, que nous trouvons de l'autre côté clarté et lumière. Même si les Dragons du Feu semblent menaçants, qu'une présence parfois presque effrayante se ressent, lorsque nous les regardons avec clarté, nous réalisons alors la profondeur de l'Amour qu'ils nous apportent via leur souffle qui surgit tout droit de leur cœur vers nous.

Les Dragons du Feu, mâle et femelle, résident tous les deux le cœur posé sur les supervolcans[3] actifs de la planète. Le mâle s'étale à travers l'ouest des Etats-Unis et du Canada son cœur sur la région du parc national de Yellowstone alors que sa queue se prolonge sur l'Amérique Centrale. La femelle s'étend sur la plupart des îles in-

---

[3] l'appellation de supervolcans est récente dans la langue française et désigne les volcans dont l'activité, s'ils se réveillent, seraient des milliers de fois plus violente que les éruptions telles que celle du Mont St Hélène. L'une des dernières fois qu'un supervolcan s'est éveillé ce fut il y a près de 75'000, à Sumatra (Toba) et cela engendra mille ans de glaciation.

donésiennes son cœur étant localisé à Sumatra et sa queue rejoint la chaîne de l'Himalaya. C'est elle qui fut responsable du Tsunami qui a dévasté cette région en décembre 2004. Cela amena un terrible chaos, mais également, une communion humaine et une solidarité rarement atteinte dans l'histoire humaine. C'est la lumière qui surgit lorsque nous parcourons les ténèbres. C'est leur cadeau.

Commencez la séance de travail avec les Dragons du Feu en prenant une position assise, visualisez-vous devant ou au centre d'un feu. La présence réelle d'un feu, ou tout au moins une chaude couverture, sera utile. Commencer à vous relaxer confortablement, et concentrez-vous uniquement sur votre respiration. Centrez-vous. Lorsque vous êtes prêts, commencez par entonner le mantra en envoyant votre voix dans les flammes du feu, dans toutes les directions. Vous allez alors ressentir une couverture de glace descendre sur vous. C'est la présence des Dragons du Feu. Il/Elle travaille dans les sensations opposées à celles auxquelles l'on s'attend.

A ce point, bougez vos mains, serrez les poings et posez les l'un sur l'autre, directement devant votre ventre, entre le nombril et le sternum. Les femmes devraient poser le poing droit sur le gauche et inversement pour les hommes. Gardez l'attention sur votre respiration et, en expirant le mantra ressentez le feu qui grandit dans votre abdomen.

Si le mâle est présent, vous sentirez une boule de feu se créer entre le 2e et le 3e chakra. La femelle sera plus centrée aux environs du premier et du 2e chakra, entre les organes génitaux et le hara. Il faut s'attendre à ce que cette pratique vous rende extrêmement nauséeux. C'est pourquoi vous ne devriez pas effectuer cette méditation plus de quelques minutes à chaque fois. Vous brûlerez graduellement les scories et les blocages tout en connectant de plus en plus de nouveaux circuits internes dans votre corps, circuits qu'ouvre le Dragon du Feu.

Continuez à chanter le mantra et attirez votre attention sur la boule de feu à l'intérieur de vous. Envoyez votre respiration de votre cœur à la sphère de feu afin de la faire grossir et brûler de plus en plus intensément. Cela va vous sembler ironique car vous ressentirez votre souffle, comme celui du Dragon, tels des vents arctiques

! Le feu interne se construit comme un soleil de glace brûlant à son zénith, alors que vous sentez le reste de votre corps devenir un iceberg. Continuez à alimenter le feu avec votre respiration aussi longtemps que vous le pourrez. Plus il sera chaud, plus le Dragon du Feu pourra ouvrir de canaux à l'intérieur de vous, et donc y accéder.

Il est probable que vous expérimentiez énormément d'émotions négatives, sombres, et que des mémoires surgissent. Inspirez-les profondément dans votre cœur puis rejetez-les avec force dans le feu, brûlez-les. Au fur et à mesure que vous consumez ces émotions, d'autres peuvent surgir, plus anciennes, plus profondes. C'est une excellente chose et indique que vous atteignez de vieux canaux et que vous les nettoyez. Continuez à respirer, à souffler puissamment dans le feu jusqu'à ce que vous ressentiez une relative accalmie en vous. Lorsque vous aurez atteint cet état, avec le Dragon du Feu mâle et femelle individuellement, vous serez prêts à unir les deux dragons en vous.

Tranquillement, toujours assis, demeurez dans cet état jusqu'au moment où vous sentirez que votre attention est à nouveau présente dans votre corps physique, et que vous reprenez conscience de l'espace autour de vous. A cet instant, vous comprendrez la suggestion d'être près d'un feu ou emmitouflé dans une couverture. Vous risquez de vous sentir glacé jusqu'aux os et une douche ou un bain sera nécessaire pour vous réchauffer.

Ne tentez pas de fusionner les deux Dragons du Feu trop vite, prenez le temps de ressentir l'énergie de chacun d'entre eux, de les explorer en quelque sorte. Votre travail sera facilité si vous maintenez votre colonne vertébrale en position verticale. Quand vous vous sentez prêts à unir la paire de Dragons, commencez la session comme vous en avez l'habitude, respirez, entonnez le mantra et placez vos mains. Puis, demandez aux Dragons qu'ils s'unissent en vous dès qu'ils se sentiront prêts. Vous sentirez alors comme des petits feux s'allumer dans les deux parties de l'abdomen. Lorsque les deux boules seront présentes, respirez alternativement, lentement, dans l'une et l'autre. Dès qu'elles s'embrasent et que le froid vous gagne, vous saurez que tous les deux sont sur le point de fusionner.

Quand la fusion a lieu, vous ressentez une large boule de feu dans tout le bas de votre torse et une puissante explosion fait passer votre corps de la glace à la chaleur tropicale tout en vous donnant un fort sentiment de force et de sécurité. Ceci devient l'endroit duquel vous manifesterez dorénavant toute vos créations dans le monde. Cela deviendra encore plus clair quand vous aurez atteint l'étape du travail dans l'œil du Dragon du Feu.

Laissez-vous baigner dans la chaleur et la lumière de cet espace, à l'intérieur de vous. Restez aussi longtemps que vous le souhaitez dans cette conscience et lorsque vous aurez repris totalement contact avec le monde physique, voyez si vous ressentez encore cette nouvelle lueur de retour en vous.

LE DRAGON DE L'EAU

- » Associé à Lady Nada
- » Fonction: transmission et connexion à travers les dimensions; le conducteur
- » Pierre: aigue-marine
- » Métal: argent
- » Mantra: Mee Ray An Nu Ah Tu I (Mii Ré Anne Nou Ah Tou Aii)

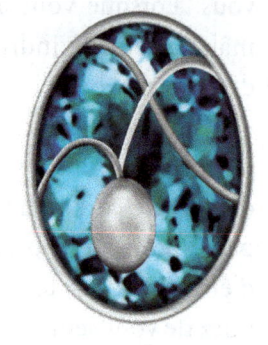

Le Dragon de l'eau est notre connexion avec "tout ce qui est". Il/elle est le cordon ombilical du flux de notre lumière, des transmissions... le conducteur du flux d'information et de l'Amour inconditionnel. Comme tel, il/elle représente un lien crucial pour la descension de nos corps de lumière dans le plan physique.

En fait, la descension est le processus réel de ce que nous nommons "ascension". C'est la descente du ciel sur terre, et cela arrive lorsque chacun d'entre nous pose entièrement son corps de lumière dans cette dimension. Gaïa aussi procède à sa propre ascension en abaissant son corps de lumière. C'est pour cela que les Dragons de l'Eau de Mu sont un maillon-clé pour la reconnexion avec le cordon ombilical de Gaïa qui a été maintenu loin d'elle par la présence de Tiamat, il y a de cela des millions d'années.

Les Dragons de l'Eau sont les plus grands des Dragons de Mu et c'était la tâche de la femelle Dragon de l'Eau de convoquer le Concile de Mu pour la première fois depuis la création de la Terre, dans le but d'entamer la phase finale de guérison de Gaïa et de l'humanité. Elle se trouve au plus profond de l'océan, sa tête affleurant la côte péruvienne, tenant en forme une très large partie de l'océan pacifique tandis que le mâle, massif, est couché au cœur de l'Océan indien. Tous deux sont des créatures serpentines resplendissantes, dont l'immensité de leur pouvoir n'a d'égal que leur infinie douceur. Leur couleur est un mélange de bleu profond et de vert vif; la couleur dont vous verriez la terre si nous pouvions l'observer de très, très loin.

Pour commencer votre session avec les Dragons de l'Eau, imaginez-vous assis sur un rivage, l'eau monte jusqu'à votre poitrine, vous êtes gentiment balancé par les vagues, au rythme de la marée. Basculez dans ce rythme et laissez la respiration suivre son cours. Le souffle, additionné au chant du mantra, provoque un flux de vagues, se heurte à la densité de la masse, la casse puis dissout les blocages et les clarifie.

La respiration voyage au travers de tous ces encombrements, ouvre les canaux entre votre chakra du Cœur supérieur (le thymus) et le Cœur de Cristal de la planète. Visualisez un tube blanc, lumineux, sortant de votre thymus se dirigeant dans l'océan où tout au fond il rejoint le cœur de Cristal puis, de là, il traverse un trou au centre, qui mène au Cosmos.

Continuez à chanter le mantra à l'inspire comme à l'expire, intensifiant à chaque respiration la profondeur et la largeur de ce tube de lumière blanche. Au fur et à mesure que cette connexion se fortifie vous ressentirez de la chaleur dans votre thymus et un flux de douceur, tel un fleuve de grâce, remplir votre poitrine avec une lumière miroitante. C'est cela le travail du Dragon de l'Eau femelle, vous aider à recevoir par ce canal.

Vous allez ressentir les vagues d'amour et de lumière venant directement du centre de la planète vous envahir au rythme des battements de votre cœur. Au fur et à mesure que les canaux dans votre cœur et votre poitrine s'ouvrent pour faire circuler cette énergie, vous pourriez ressentir une sensation de serrement dans le thorax, des palpitations, des quintes de toux ou des blocages. Ils annoncent le nettoyage de ces voies. Restez dans cette attitude et synchronisez votre respiration et vos battements de cœur avec ceux de la femelle Dragon Eau. Il est probable que des larmes et des émotions profondes surgissent car peu d'entre nous ont déjà reçu autant d'amour et d'une telle profondeur.

Lorsque vous travaillez avec le Dragon mâle, vous ressentez cette grâce passer au travers de votre poitrine, jaillir en direction du Cosmos et revenir à son point de départ, formant un cercle, échangeant l'Amour et la Lumière Noire, et ouvrant des canaux dans des directions opposées. Ceci est un signe puissant, lancé à tous les êtres cosmiques, que vous êtes prêt à évoluer. Peut-être voudrez-vous concentrer et étendre le tube de lumière qui quitte votre thymus, ce qui donnera lieu à une focalisation et à une intention d'amour des plus purs que vous puissiez envoyer depuis votre être. Avez-vous déjà réalisé que vous pouvez donner autant?

Autant avec le mâle qu'avec la femelle, restez dans l'expérience jusqu'au moment où vous ressentez votre poitrine claire et large alors que les canaux sortant et entrant dans le tube de lumière sont dilatés à leur maximum. Puis, lentement, reportez votre attention sur le reste de votre corps et l'espace qui vous entoure. Prenez le temps de vous asseoir et d'intégrer ce nouveau sentiment d'expansion dans votre poitrine, tout en énumérant les sentiments que vous aimeriez peut-être retranscrire. Maintenant, vous êtes prêts à faire fusionner les deux Dragons de l'Eau.

Pour ce faire, débuter le travail avec la femelle Dragon de l'Eau afin d'élargir le canal de Lumière montant depuis le cœur de la planète puis, invitez le mâle à vous rejoindre et à intensifier le passage de l'énergie vers l'extérieur. Envoyez au dehors votre intention d'unir les deux Dragons. Lors de leur union, vous ressentez le flux de l'Amour et de la Lumière prendre un rythme plus soutenu, et ce au fur et à mesure que le tube se sépare de l'intérieur et commence à tourner sur lui-même pour former une double hélice de Lumière. Vous aurez l'impression que des lemniscates de Lumière se ruent en vous, au travers vous, autour de vous…. une chevauchée fantastique, sauvage sur les montagnes russes de l'Amour. Vous ressentirez la violence de l'extase indompté des Dragons lorsqu'ils deviendront UN en vous dans une mer d'Amour. Baignez-vous en elle aussi longtemps que vous le pourrez.

Lentement, encore plus lentement, laissez les sensations mourir, s'éteindre et restez intensément à l'écoute de se qui se passe dans votre corps. Puis, maintenez-vous en méditation, tranquillement pour un moment. Quand vous aurez repris tout gentiment conscience de votre corps et de la réalité extérieure, votre poitrine semblera vaste et en expansion, comme si l'univers en entier nageait ou pouvait nager dans cet espace. Respirez profondément, lentement, expirez cette magnifique force intérieure dans tout ce qui vous entoure.

Durant les prochaines heures et le ou les jours suivants, soyez attentifs à combien de temps vous garderez cette sensation d'expansion dans la poitrine. Il est également intéressant de noter si vos perceptions du monde extérieur se modifient totalement.

Les Dragons
INTERGALACTIQUES
DE LA LUMIÈRE

La rencontre avec les Dragons Intergalactiques débute en posture assise, et en ressentant si vous souhaitez d'abord travailler avec le Dragon Blanc ou avec le Noir. Auparavant, il est indispensable que vous ayez déjà médité avec chaque Dragon élémental individuellement et en couple. Vous constaterez que, même si sur le plan de cette planète chaque Dragon Blanc et Noir possède un aspect féminin et un autre masculin, une fois que vous travaillez avec l'un d'eux leurs polarités sont déjà fusionnées. Ils sont pour nous un exemple concret de l'Unité de Conscience: l'unification et l'individualisation. Comme deux flammes-jumelles, ils ne sont jamais totalement séparés, même si physiquement ils le sont.

Vous allez travailler avec les Dragon Blanc et Noir individuellement et ensuite, lorsque vous vous sentirez prêts, vous pouvez les réunir. Vous ressentirez quand travailler avec le Dragon de Cristal. Il est inutile d'essayer de méditer avec le Dragon de Cristal tant que vous n'avez pas unis en vous le Dragon Noir avec le Dragon Blanc.

Si vous habitez dans une région proche de la ligne énergétique de Michael (aussi connue sous le nom de ligne d'Apollo), la connexion avec les Dragons Blanc et Noir est très puissante. Cette ligne s'étend de l'Irlande à Israël en passant par l'Angleterre, la France: l'île de Skelling Michael, le Mont Saint-Michel, Bourges, l'Abbaye de San

Michele sur le Mont Pirchiriano, Pérouse, Corfu, Delphes, Athènes, Délos, Rhodes, le Mont-Carmel pour ne nommer que quelques points. Leurs énergies sont entrelacées à travers une large portion de cet alignement permettant d'expérimenter, sur ces points, une connexion encore plus profonde.

Les Ley Lines qui traversent Avebury et Glastonbury en Angleterre sont aussi efficaces pour les connecter. Le même phénomène se produit dans le Pacifique en travaillant avec ces deux Dragons. Il existe beaucoup de régions très puissantes où se connecter à eux, spécialement dans toute la région de la chaîne des îles hawaïennes: Mauna Kea à Hawaï, la vallée de Iao à Maui et le Mont Waialeale à Kauai. Les îles tahitiennes abritent également quelques points-clés puissants pour ces deux Dragons.

La trinité énergétique créée par les Dragons Noir, Blanc et de Cristal est notre zone de connexion entre le plan terrestre et les plans interdimensionnels. C'est le premier niveau de reconnexion entre ces points, dans notre corps physique, qui a été activé par les Dragons élémentaux et leurs contreparties dans nos corps de lumière.

Cela crée également pour nous, un espace de transmission afin d'accéder à nos brins de codes ADN supérieurs et permet de les activer ce qui amène à l'ancrage de notre corps de lumière. Métatron est profondément associé à cet aspect du Dragon de Cristal, et vous pourriez ressentir sa présence durant vos séances avec lui.

Cette trinité peut aussi être appelée comme protection, en invoquant Michael, Melchizédek, Métatron, le Dragon Blanc, le Dragon Noir ou le Dragon de Cristal en triangulation autour de vous. Si vous sentez que vous êtes menacés ou entourés par des énergies denses, inconfortables pour vous, ils bâtiront pour vous un espace de protection. Soyez par contre attentifs et discernez les énergies négatives qui sont extérieures des vôtres, à celles internes et qui resurgissent afin d'être nettoyées et dissoutes.

Une fois que vous aurez travaillé sur un niveau plus profond avec ces énergies, vous n'aurez jamais plus besoin d'appeler consciemment cette trinité car vous la porterez en vous tout le temps. Ceci vous projettera dans un état d'esprit plus présent, plus conscient et dans un espace plus paisible. Vous verrez et comprendrez des situations redondantes beaucoup plus clairement et sans aucun jugement ou émotion. C'est une étape cruciale en direction de notre état naturel de Conscience Unifiée.

LE DRAGON NOIR

- » Associé à Archange Michael
- » Connexion: les côtés obscurs, massacre, le pouvoir primordial, purifie l'ombre des débris
- » Pierre: carborundum
- » Métal: or
- » Mantra: Bee Shto MI Tu (Bii Chto Maii Tou)

Les Dragons Noirs se trouvent recourbés vers le haut chacun dans une position symétrique à celle de l'autre et située à l'opposé du globe tout comme le sont les autres Dragons de Mu. Cependant, ils sont également en parfait équilibre, l'un à côté de l'autre, avec leur contrepartie énergétique que sont les Dragons Blancs. Le Dragon mâle se situe dans l'Océan Pacifique avec le Dragon Blanc femelle. Son cœur posé non loin des îles tahitiennes peut être contacté dans cette région. A l'opposé, en accord avec le Dragon Blanc mâle, la femelle Dragon Noir est installée la tête en Afrique du Sud, son Hara en Egypte tandis que sa queue s'enroule sur le pourtour du bassin méditerranéen.

Les Dragons Noirs, tout comme les Blancs et ceux de Cristal, peuvent modifier leur aspect, et de ce fait, apparaître sous diverses formes à différentes personnes. Typiquement, ils sont comme les autres Dragons, avec une seule tête, de magnifiques ailes, une puissante queue et ils soufflent le feu. Pourtant, des caractéristiques différentes peuvent se présenter. Le Dragon Noir peut à tout moment avoir deux à trois têtes, et de façon tout à fait inattendue, expirer de la glace, un souffle à l'extrême opposé de ce à quoi l'on s'attend mais qui équivaut à une expiration de feu purificatrice et destructive.

Le souffle du Dragon Noir est profond, rauque et menaçant.

Il brûle avec une force arctique, enflammant tout ce qui est profondément enfoui dans le corps afin de l'amener à la surface pour le nettoyer. Il nous connecte à notre énergie primordiale, la plus profonde, celle qui est bloquée en nous, et il nous mène aux grottes de notre subconscient afin d'y massacrer nos démons intérieurs, toutes ces choses qui nous empêchent de nous connecter à notre réelle puissance.

Le travail avec le Dragon Noir débute comme pour les autres, assis en position confortable, la colonne vertébrale droite. Commencez à respirer gentiment. Lorsque vous vous sentirez centrés, il serait judicieux de d'abord réveiller dans votre corps chaque canal en relation avec les Dragons Elémentaux. Effectuez ceci en chantant le mantra de chacun d'entre eux dans l'ordre suivant: Terre: Mii Tou Ame Na Hé Roua, Air: Mii Rou Ah Tou Né Ah Oh, Feu: Bah Tou Haa Biiche Ta Ou Hé, Eau: Mii Ré Anne Nou Ah Tou Aii. Concentrez-vous sur chacun d'entre eux, individuellement en chantant jusqu'au moment où vous sentez que le chemin est ouvert et qu'il est activé. Faites de même pour les quatre. Vous devriez ressentir le devant et le dos du torse, la colonne vertébrale, l'abdomen et le cœur tinter et s'ouvrir. C'est seulement à ce moment que vous pourrez véritablement commencer le travail avec le Dragon Noir.

Forcez la respiration de façon rauque, gutturale, autant sur l'inspire qu'à l'expire. Imaginez-vous tel un Dragon assis dans le noir, dans une grotte humide de l'ancien temps. Lorsque vous serez totalement connecté à cette image, commencer à chanter le mantra sur l'expire. Soufflant en direction du plancher, profondément à travers le sol comme si vous étiez en train d'inonder la grotte avec un brouillard glacé qui vous traverse. Une brume tellement glaciale qu'elle brûle. Garder le rythme du mantra quelques minutes.

Il se peut que vous ressentiez une fine spirale de lumière noire émaner du sol de la grotte, tournoyant en sens inverse à celui d'une montre dans la base de votre colonne. Continuez à émettre le mantra à haute voix jusqu'à ce que cette spirale atteigne le haut de votre crâne et s'étende vers le sommet, s'étirant dans les deux directions. Maintenant, vous pouvez arrêter de chanter, le mantra devient interne. Continuez avec lui tant que vous sentez les spires prendre de l'ampleur, s'élargir; leur diamètre grandit lentement jusqu'à ce qu'elles entourent totalement votre corps. Dès ce moment, restez en méditation dans cet espace, sans émettre de mantra. Peut-être allez-vous ressentir quelques vertiges ou nausées au creux de l'estomac. C'est un phénomène qui se dissipe au fur et à mesure de votre travail avec le Dragon Noir.

Dans cet espace méditatif, les choses vont surgir à la lumière venant de vos lieux les plus noirs, les plus profonds. Elles remontent à la surface afin d'être nettoyées. C'est un travail à un niveau plus profond qui commence avec les émotions et les mémoires que le Dragon du Feu a nettoyées pour vous. Le Dragon du Feu a seulement pu débloquer les éléments qui encombraient les canaux énergétiques. Le Dragon Noir peut nettoyer les nœuds karmiques qui demeurent depuis de nombreuses vies et sont stockés dans votre ADN et vos mémoires cellulaires. Ils se peut même que certains de ces blocages fassent partie de la mémoire de la conscience collective.

Autorisez-vous à les regarder et reconnaissez leur présence, sans jugement, sans émotion. Ils sont, c'est tout. Ils sont des parties de vous qui étaient nécessaires lors de votre(vos) voyage(s), mais maintenant ils peuvent être abandonnés. Gardez ces pensées, ces blocages devant vous, et expirez sur eux un feu glacial avec la claire intention de les dissoudre complètement. C'est le cadeau du Dragon Noir.

A chaque fois que vous travaillerez avec le Dragon Noir, encore plus de choses resurgiront afin d'être nettoyées. Chacune étant sur une couche plus profonde, plus cachée, et peut-être depuis plusieurs vies. Si vous ne sentez rien remonter, respirez de façon enrouée, rauque et expirez à travers le sol de la grotte en demandant à ce que votre souffle pénètre plus profondément ces espaces cachés et qu'il projette toutes les noirceurs à l'extérieur. Continuez sincèrement jusqu'à ce qu'il ne reste plus rien de caché, dans aucun recoin de votre grotte.

A ce point, si vous avez déjà accompli le travail avec le Dragon Blanc de la même façon, vous êtes prêts à faire fusionner le Dragon Noir avec le Dragon Blanc. Asseyez-vous tranquillement et ressentez la spirale noire vous entourer. Elle contient une partie de votre code génétique et de celui de l'humanité. Ressentez son pouvoir, ressentez la force de l'Archange Michael vous traverser.

Lorsque vous sentez que c'est le moment, laissez votre respiration s'adoucir et rapportez votre attention sur votre corps, sur le lieu qui vous entoure. Vous avez accompli une puissante étape dans votre travail. Prenez le temps avant de vous relever gentiment et de bouger. Vous ressentirez probablement un sens de votre conscience plus aigu, et ce, au fur et à mesure que se déroulera la journée.

LE DRAGON BLANC

- » Associé à Archange Mélchizedek
- » Connexion: création, enracinement, pouvoir solaire, activation, connexions généalogiques
- » Pierre: opale
- » Métal: titane
- » Mantra: Mee Ray An Nu I (Mii Ré Anne Nou Aii)

Comme chaque autre couple de Dragons, les Dragons Blancs de Mu se tiennent en paires opposées géographiquement sur le globe terrestre tout en restant connectés l'un à l'autre par leur hara et leur cœur via un canal énergétique qu'ils tiennent ouvert sur le plan physique. La femelle s'étale au milieu du Pacifique nord, son hara sous la ceinture de feu des îles hawaïennes. L'ouverture de son hara est une connexion avec nous, dans le plan physique, par l'intermédiaire du cratère du volcan de Kiauea, sur la Grande île d'Hawaï. Le mâle quant à lui, s'enroule sur le nord de l'Europe, son cœur étant en connexion avec nous dans la région de St-Petersburg, en Russie.

Tout comme le Dragon Noir, le Dragon Blanc peut modifier son aspect. Spécialement pour ceux qui sont en relation flamme-jumelle, l'apparence peut alors être celle d'un Dragon à deux têtes: le miroir d'une fusion parfaite et d'un total équilibre tout en maintenant l'individualité – une véritable représentation de ce que serait notre retour dans la fusion du UN tout en y restant une partie individuelle. Ces deux têtes se tournent et se regardent fixement, avec un amour infini, créant l'image visuelle d'un cœur, un peu comme le font les couples de cygnes amoureux, leurs souffles opposés formant une lemniscate de feu.

A nouveau, le travail débute en position assise, le dos droit tout en respirant lentement quelques minutes afin d'apaiser votre mental et de vous concentrer. Puis, réveillez les chemins énergétiques des Dragons élémentaux, comme avec le Dragon Noir. Reportez-vous au paragraphe décrivant cette pratique pour plus de détails.

Ensuite, entonnez lentement le mantra, sur l'expiration. Inspirant et expirant de façon circulaire. Expirez en rejetant le souffle sur le sol, loin de vous, en créant la partie inférieure d'un demi-cercle puis, inspirez depuis le point où vous avez cessez d'expirer, comme si vous deviez aspirer de l'air très loin du cercle, remontez en courbe et redescendez pour terminer d'expirer sur un point situé juste en face de votre bouche. Maintenez ce rythme de respiration pendant quelques minutes jusqu'au moment où vous sentirez des fils d'énergie descendre lentement sur vous, par le chakra couronne, dans la colonne vertébrale.

Une fine colonne spiralée de lumière blanche descendra, en sens inverse des aiguilles d'une montre, tout le long de la colonne vertébrale, jusqu'au bas du dos. Restez avec le mantra aussi longtemps que vous pouvez. Si maintenir la respiration circulaire devient trop difficile, continuez à chanter le mantra tout en restant immobile et concentré sur la spirale de lumière entrant dans votre corps.

Vous sentirez quand le moment sera venu d'arrêter de chanter à haute voix et de simplement ressentir la spirale. Chantez le mantra intérieurement, ressentez l'expansion des spires jusqu'au moment où vous serez totalement entouré par elles. A ce point, restez assis, sans mantra intérieur, et immergez-vous dans cet espace aussi longtemps que possible.

Cette méditation est en profonde connexion avec votre structure ADN, votre lointaine filiation et la connaissance qui y est tenue, pour vous. C'est également un puissant lien avec Melchizédek et le pouvoir solaire. Vous devriez vous sentir profondément ancrés et activés dans toutes les cellules de votre corps. Ce qui peut engendrer un sentiment d'étourdissement. Si vous travaillez régulièrement avec cette énergie, vous l'intégrerez beaucoup plus rapidement.

A l'intérieur de cet espace, vous pouvez ressentir une exaltation avec la Vie et de magnifiques connexions avec tous les êtres vivants. Vous pouvez également expérimenter des rêves ou des pensées venant de votre intérieur ou des choses que votre âme se languit de réaliser, probablement celles dont vous rêviez enfant et que vous avez oublié. Il se peut aussi que vous contactiez quelques uns des rêves collectifs de l'humanité.

Vous avez probablement oublié que tous ces rêves sont possibles; que vous pouvez en fait, être la force créative derrière eux. Sentez les rayons d'espoir filtrer à travers les pores de votre peau depuis la spirale de Lumière qui tournoie autour de vous. Sentez le souvenir que tout est possible surgir, et vous-même sur le point de vous rappeler et d'accéder aux outils qui le révèleront. Sentez les voies des Dragons Elémentaux tinter de vie au fur et à mesure qu'ils accèdent aux codes lumineux qui tournoient autour de vous.

Après être resté dans cet espace aussi longtemps que vous l'aurez souhaité, vous reprenez gentiment conscience de votre corps et de ce qui vous entoure. Vous vous sentez particulièrement enracinés et pourtant un peu étourdis, la vie semble bourdonner autour de vous au cours de la journée. Ceci est un état d'être normal mais que nous avons oublié.

Il serait utile de travailler plusieurs fois avec le Dragon Blanc jusqu'à atteindre le point dans lequel cet état vous semble tout à fait normal, avant d'unir les Dragons Noir et Blanc.

FUSION DU DRAGON NOIR AVEC LE DRAGON BLANC

Il est primordial de travailler individuellement avec les Dragons Blanc et Noir, jusqu'à ce qu'un niveau de confort agréable soit atteint avec chacune de leur énergie. Beaucoup de choses vont surgir avec l'énergie de l'un et de l'autre. Ce n'est que lorsque vous vous sentirez prêts physiquement, mentalement, émotionnellement et spirituellement que vous pourrez envisager la fusion des deux Dragons.

L'importance de cette union est monumentale. Elle crée le conduit qui accède aux énergies du Dragon de Cristal, ce qui est notre lien entre les Elémentaux (corps humain) et les Interdimensionnels (Corps de lumière). Lorsque la triangulation est complète, nous avons la capacité d'ancrer notre corps de lumière complètement dans le plan physique et ce par l'intermédiaire de notre travail avec les Dragons Interdimensionnels. Chaque personne qui atteint cet état de conscience aide Gaïa à ancrer totalement son propre corps de lumière ce qui permet à la Terre d'entrer dans des dimensions nouvelles et plus élevées.

La fusion des deux Dragons Noir et Blanc commence tout d'abord par l'ancrage et la connexion avec chaque Dragon Elémental (ce qui a dû être réalisé avant le travail avec les Dragons Noir et Blanc individuellement). Assis confortablement, le dos droit, entonnez une fois la succession de mantras :

- » Terre: Mee Tu Am Na Hay Rua (Mii Tou Ame Na Hé Roua)
- » Air: Mee Ru Ah Tu Nay Ah Oh (Mii Rou Ah Tou Né Ah Oh)
- » Feu: Bah Tu Haa Beesh Tow Hay (Bah Tou Haa Biiche Ta Ou Hé)
- » Eau: Mee Ray An Nu Ah Tu I (Mii Ré Anne Nou Ah Tou Aii)

Ensuite, répétez chaque mantra 2 fois de suite; puis 3 et 4 fois à la suite, les quatre consécutivement. Cette pratique va vous plonger dans un état d'enracinement et vous sentirez les parties de votre corps qui seront activées: l'avant et l'arrière du torse, la colonne vertébrale, les chakras du bas, le ventre, l'abdomen, le cœur et le thymus (cœur haut).

Poursuivez en chantant dans la spirale de Lumière blanche, dans le bas de la colonne du Dragon Blanc:

- » Mee Ray An Nu I (Mii Ré Anne Nou Aii)

Dès que la sensation de spires tournoyant dans votre colonne se produit, ajoutez le Dragon Noir jusqu'au moment où vous ressentirez la spirale noire entrer et s'entortiller autour de la spirale de lumière blanche:

- » Bee Shto MI Tu (Bii Chto Maii Tou)

Là, chantez les mantras des Dragons Noir et Blanc ensemble:
- » Mee Ray An Nu I   Bee Shto MI Tu (Mii Ré Anne Nou Aii Bii Chto Maii Tou)

Ressentez l'expansion des spirales vers l'extérieur jusqu'à ce qu'elles entourent complètement votre corps. Habituez-vous à cette séquence, travaillez-la plusieurs fois jusqu'à ce que cela soit facile et fluide pour vous avant la prochaine étape qui est celle du Dragon de Cristal. A ce point, vous entonnez le mantra du Dragon de Cristal et vous amenez la colonne de cristal qui s'est formée, vers le bas, à l'intérieur des spirales créées par les lumières blanches et noires, vous ouvrant ainsi à une totale connexion et activation de votre ADN et de votre corps de Lumière. Mais lisez le chapitre concernant le Dragon de Cristal avant de d'ajouter le Dragon de Cristal à cette section.

LE DRAGON DE CRISTAL

- » Associé à Archangel Metatron
- » Connexion: géométrie sacrée, grilles énergétiques interdimensionnelles, ADN, apporte la forme à la non-forme
- » Pierre: diamant
- » Métal: adamantine
- » Mantra: Mee How Tay NI   Mee Ra Tu Ha (Mii How Té Naii Mii Ra Tou Ha)

Le Dragon de Cristal est le centre de la planète, avec un cœur de feu. Il/elle est à la fois notre connexion et celle de Gaïa avec la géométrie sacrée de Métatron, l'accès à notre ADN et la manifestation de tout ce qui est dans le monde physique. Les réseaux énergétiques par lesquels nous parvenons à tous les autres aspects des royaumes interdimensionnels, passent par le Dragon de Cristal.

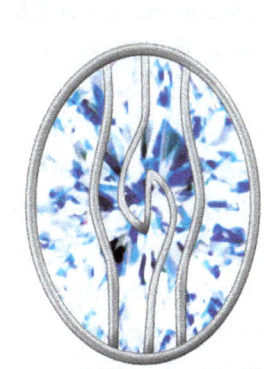

A nouveau, n'oubliez pas qu'il est indispensable de travailler avec le Dragon de Cristal SEULEMENT après avoir médité et maîtrisé les séances avec les Dragons Elémentaux et les Dragons Noir et Blanc. Les Dragons Elémentaux ouvrent les chemins physiques dans le corps afin de recevoir les énergies supérieures, et alors la fusion des dragons noirs et blancs prépare le canal central de la colonne pour être capable de recevoir les structures cristallines entrantes. L'ajout de la respiration et du mantra du Dragon de Cristal aux spires fusionnées des Dragons Noir et Blanc ajoute une colonne de cristal liquide, à l'intérieur de la spirale, ce qui permet des transmissions à l'intérieur de tout votre corps.

Cette colonne se meut du Dragon de Cristal, au centre de la planète, au travers de notre corps pour émerger au passage d'An, l'étoile centrale de la ceinture d'Orion. C'est par cette porte que les énergies du Grand Système Soleil Central nous parviennent. Même celles connectées à des systèmes stellaires tels que les Pléiades, Sirius A ou B etc. initient leur voyage vers la Terre par cette porte, et par là, se connectent à elle afin d'apporter les énergies de dimensions supérieures sur ce plan dans le but d'ancrer l'Unité de Conscience à notre dimension. C'est notre tâche, à nous tous, ici.

Pour ceux d'entre vous qui se connaissent la Merkaba pyramidale (8 côtés, 2 pyramides à 4 faces l'une accolée à l'autre par la face carrée) qui est notre véhicule pour le voyage interdimensionnel, une visualisation facile est d'imaginer les Dragons Noir et Blanc tenir chacun une pointe du tétraèdre. Les 4 points de base de la pyramide sont maintenus en place par les Dragons Elémentaux. Lorsque la colonne de cristal passe d'une pointe à l'autre, elles deviennent les points d'ancrage qui maintiennent le corps de lumière dans le plan physique.

Afin d'invoquer le Dragon de Cristal, travaillez avec les respirations mentionnées et les séquences de mantra décrites dans les chapitres des Dragons Noir et Blanc. Dès que vous sentez l'expansion des deux spirales, ensemble, attendez qu'elles englobent votre corps et restez dans cet espace en respirant simplement. Puis, entonnez le mantra du Dragon de Cristal. Vous pouvez aussi utilisez le CD et faire passer le mantra en boucle, comme cela, quand vous arrêtez de vous concentrer sur la respiration, vous pouvez être totalement dans l'énergie de l'espace créé. Le son continuera en fond, maintenant le flux d'énergie dans la colonne de cristal.

Vous ressentirez une large colonne de liquide de cristallin descendre au centre de la colonne créée par les spirales des deux Dragons Noir et Blanc. Ce processus active la matrice cristalline à l'intérieur de vos cellules et vous expérimentez des sensations jamais ressenties auparavant. Il est même inutile de tenter d'expliquer ces émotions avec des mots humains. Ce serait perdre son temps. Pour chaque personne, l'expérience sera différente car nos réalités sont subtilement différentes. Comment décrire la descension et la connexion de nos corps de lumière dans le plan physique ? Ou la reconnexion de l'ADN éthérique avec les brins physique dans notre corps?

Asseyez-vous dans cet espace et ressentez ce qui se passe dans votre être, ce qui traverse votre corps, au moment où chaque point du canal est ouvert par un des Dragons Elémentaux dans le corps physique, et connecté exactement au même point dans le corps de Lumière. Il se peut que vous ressentiez comme des millions d'ampoules électriques s'allumer et s'éteindre à chaque instant. Essayez de demeurer totalement présent dans cet état, aussi longtemps que vous le pourrez.

Vous pourriez atteindre un point de total épuisement car, paradoxalement, cet état de reconnexion est difficile à quitter même si l'énergie mise en jeu est très puissante. C'est un processus joyeux et ardu! Il est alors important de reporter son attention sur son corps, puis lentement sur son entourage matériel. D'une certaine façon, l'attention a été apportée à votre corps mais, à ce point, vous ne pouvez pas encore "fonctionner" totalement, dans ce plan, avec votre corps de Lumière. Cela viendra lors d'un travail continu avec le Dragon de Cristal. Chaque session connectant plus amplement le corps de Lumière. Un réel ancrage parviendra quand vous travaillerez avec les Dragons Interdimensionnels.

Chaque fois que vous méditez avec le Dragon de Cristal, c'est une expérience puissante, et typiquement, elle implique des "téléchargements" de transmissions émanant de votre source d'énergie, de gardiens, de guides etc. Ceci est spécialement vrai si vous travaillez régulièrement avec le Dragon de Cristal et que vous approfondissez vos connexions avec votre corps de Lumière. Plus vous lui consacrez de temps, plus il donne.

Préparez vos séances de façon à avoir assez de temps, après la méditation, pour vous reposer ou faire une sieste afin d'intégrer toute cette énergie. Buvez beaucoup d'eau et pensez à créer un cercle protecteur autour de vous si vous devez, dans les heures suivantes, aller dans des endroits publiques. Vous serez largement ouverts, comme après une séance de guérison, et vous ne voulez certainement pas emmagasiner des énergies qui ne vous appartiennent pas.

Accordez-vous un généreux intervalle entre chaque session avec le Dragon de Cristal afin d'intégrer tout ce qui vient d'être reconnecté ou téléchargé. Il est vraiment souhaitable d'atteindre une confortable maîtrise dans cette phase de travail avant d'imaginer travailler avec les Dragons Interdimensionnels d'Or, d'Argent et de Cuivre.

Les Niveaux Plus Profonds DU TRAVAIL AVEC LES DRAGONS

TRAVAILLER AVEC PLUSIEURS DRAGONS À LA FOIS

On peut atteindre des couches profondes en travaillant avec plusieurs Dragons à la fois, par paire ou par multiples de deux. Il est par contre primordial de terminer les méditations avec chaque Dragon individuellement avant d'entreprendre ce type de réunion. Idéalement, il faudrait tout d'abord avoir complété les méditations avec chaque type de dragon tel que décrit dans le diagramme géométrique, des Elémentaux jusqu'aux Interdimensionnels. En dernier lieu, travailler avec des dragons de même niveau avant de combiner différentes couches énergétiques. Par exemple, vous pouvez allier des couples de Dragons Elémentaux et ce, si vous avez bien sûr médité avec chacun d'entre eux individuellement auparavant, faites ceci avant d'appréhender le travail avec les Dragons Intergalactiques.

EQUILIBRE EAU / FEU – TERRE / AIR

Typiquement, lors d'un rituel, d'une danse, d'une cérémonie etc. où les Elémentaux sont invoqués, ils se présentent par paires parfaitement équilibrées. La femelle du Dragon de l'Eau accompagne le mâle du Dragon du Feu alors que la femelle du Dragon de l'Air se joint au mâle Dragon de la Terre. Vous remarquerez que cela crée différents aspects de contrepartie, y compris les caractéristiques, pas si évidentes, de Dragons ailés et de Dragons serpentins. Cela engendre des spirales ascensionnelles et descendantes d'une telle vélocité que l'on peut les comparer à des courants enflammés par un ventilateur ou à des terres inondées dans toutes les directions, ceci dans le but d'unir, par exemple, les Dragons ailés avec les Dragons Serpentins pour un travail commun.

Cette représentation est utile à garder en tête si vous dansez avec les quatre Dragons Elémentaux ou si vous les prenez comme gardiens de places sacrées. Deux hommes et deux femmes peuvent représenter les Dragons dans le plan physique et appeler, en eux, chaque Dragon Elémental individuellement à l'aide des mantras spécifiques à chacun d'entre eux. Si vous employez cette technique, imaginez et maintenez les paires de Dragons à l'opposé l'une de l'autre plutôt que l'une à côté de l'autre, chaque Dragon gardant un angle du carré. Afin de donner une dimension encore plus élevée, imaginez les Dragons à la base d'une Merkaba tétraédrique et appelez-les, à l'unisson, les Dragons Noirs et Blancs maintenant les sommets de la géométrie. Cette création est puissante; je vous incite à ne pas travailler avec elle à la légère et à être prêts à sortir des chemins battus.

Vous pouvez également méditer avec une seule paire et combinant les mantras individuels en les répétant à la suite. Par exemple, travaillez avec le Feu et l'Eau en associant les mantras: "Bah Tou Haa Biiche Tao Hé" et "Mii Ré Anne Nou Ah Tou Aii", tout en utilisant les respirations et les mudras tels que décrits dans les sections respectives. La même chose peut se faire avec la paire Terre - Air. Sur le CD se trouve également une séquence associant les mantras des 4 Dragons élémentaux. Vous pouvez l'utiliser pour une méditation personnelle ou en groupe.

LES DRAGONS DE CRISTAL ET DU FEU – BIICHE TA OU HÉ MII RA TOU HA

Le Dragon de Cristal a un cœur de feu duquel émane son souffle, c'est pourquoi les Dragons de Cristal et du Feu interagissent d'une manière très puissante. Travailler avec les deux ensemble et l'une des façons d'activer l'aspect cristallin du hara du Dragon, et de nettoyer, éliminer les vieilles énergies stockées dans nos trois chakras inférieurs. Au fur et à mesure de notre évolution, ces trois chakras vont se rassembler en un seul centre de la partie inférieure de notre corps physique, et le travail avec les Dragons de Cristal et du Feu initie cette évolution.

Asseyez-vous confortablement la colonne vertébrale droite et respirez en vous connectant avec votre dragon intérieur. Ressentez la respiration s'approfondir, s'alourdir, devenir primitive… et lorsque vous vous sentirez prêt, entonnez le mantra: Biiche Tao Hé Mii Ra Tou Ha (reportez-vous au CD pour écouter comment le R du Ra est roulé). Sentez le plancher pelvien devenir chaud et lourd, comme s'il coulait dans le centre de la terre. Continuez à chanter. Ensuite, un vortex se crée, du chakra racine vers l'intérieur en direction des organes abdominaux, entourant l'espace du hara, des intestins, de l'estomac et des reins. C'est la fougueuse respiration du Dragon de Cristal qui entre en vous. Visualisez ce vortex s'agrandir et s'étendre jusqu'à englober les trois premiers chakras et atteindre le niveau du diaphragme.

Ce vortex peut vous rendre nauséeux ou inconfortable; continuez à chanter jusqu'au moment où vous n'en pouvez plus. Le Dragon de Cristal envoie son souffle droit depuis son cœur de feu en cadeau pour vous, détruisant et dissolvant avec le plus grand amour. Cette énergie nettoie beaucoup de couches de vieux débris emmagasinés dans les organes, et elle facilite un changement rapide, si vous pouvez le soutenir. A un moment donné, vous ressentez des spirales d'énergie qui commencent à s'étendre depuis la base du vortex; c'est l'ouverture du circuit énergétique du Dragon de Cristal dans votre corps et les spirales du Hara qui prennent vie.

Quand vous sentez que la session se termine, cessez de chanter et asseyez-vous dans cet état aussi longtemps que vous pourrez le faire perdurer. Ensuite, couchez-vous afin de favoriser l'intégration de cette expérience. Surtout, n'essayez pas de vous lever trop tôt ou d'effectuer ce travail si vous avez des choses à faire qui vous préoccupent. Cet exercice est puissant et mérite qu'on lui accorde le temps et le respect nécessaire à sa réalisation. Il mettra à jour tout ce qui est coincé, accumulé dans les couches de la partie inférieure de notre corps, ce qui peut être décourageant de découvrir et de revivre. Laissez ces blocages se détendre sans émotion ou jugement, honorez le rôle qu'ils ont joué dans votre voyage actuel ou vos vies précédentes. Il n'y a aucun besoin de vouloir les analyser ou les comprendre avec votre mental.

Ne soyez pas frustrés si vous n'arrivez pas à méditer plus que quelques minutes avec ces deux Dragons. Continuez à travailler avec eux jusqu'au moment où vous réaliserez en totalité l'expérience décrite, soyez tolérant et aimable avec vous-mêmes.

LES DRAGONS D'ARGENT ET DE L'EAU – UN CHANT GUÉRISSEUR DE LA PRÉSENCE DU CŒUR

Lors de mon séjour à Glastonbury, j'ai eu une magnifique résurgence de souvenirs alors que j'étais assise au bord du bassin de la cour du Roi Arthur, dans le jardin où se trouve le puits du calice, "Chalice Well". Assise tranquillement, me réjouissant du silence et de la beauté d'une magnifique journée d'automne, un chant a surgi et m'a propulsée dans ma robe de prêtresse, du temps d'Avalon. Je me suis retrouvée à côté du bassin en communication avec Marie-Madeleine et le Dragon d'Argent tout en chantant "Iii RiaNNa Houm Na é" encore et encore. Le mantra a pris sa propre vie avec la même mélodie mais en s'octroyant la liberté de changer d'octave et d'harmonie. Je ressenti une présence du cœur splendide et un sentiment de guérison qui émanait, c'était la douce rivière de Grâce apportée par Marie-Madeleine/Lady Nada (associée au Dragon de l'Eau) et par le Dragon d'Argent.

Plus tard dans la même journée, je me baladais afin de rendre visite aux chênes des Gogs et des Magogs qui sont situés sur le chemin du Dragon, juste à l'est du "Tor", en direction d'Avenbury. Je communiquai avec eux et ressenti l'invitation de Magog - comme si elle parlait à la petite fille que j'ai été - de grimper dans ses branches encore une fois et de rester là. Une fois de plus, lorsque je m'assis en elle et l'étreignis, j'entendis cette chanson monter en moi et je ne pouvais plus m'arrêter de la lui chanter... avec elle. J'ai pris conscience du cadeau qu'elle m'offrait.

C'est un mantra époustouflant, à émettre depuis votre cœur à tous les êtres de la Nature. Il apporte la guérison, non seulement à vous-mêmes, mais aussi à toute la nature. En l'émettant, vous allez vous sentir en connexion profonde avec tous les êtres pour qui vous le chantez, et vous discernerez leurs cœurs s'unir au vôtre dans une célébration commune. Ils se languissent de se reconnecter à nous et de guérir cette planète. Certains de ces êtres sont restés endormis pendant de très longues périodes et ce mantra peut les éveiller. Il réveillera alors des endroits léthargiques de votre cœur depuis si longtemps qu'ils risquent d'être apeurés par autant d'Amour.

LA DANSE ET LA SEXUALITÉ – UNE PART IMPORTANTE DU TRAVAIL AVEC LE DRAGON

L'un des seul aspects que je n'ai pas inclus dans chaque section de travail particulier est le mouvement du dragon. La raison est que ce ressenti est totalement organique et individuel. Le mouvement corporel et la danse de chaque Dragon peut être un mécanisme de connexion profond pour réellement secouer les énergies dans chaque cellule du corps. Pour ceux qui souhaite élargir leur travail avec les mouvements, je recommande de faire un tour complet de méditation avec chaque dragon, dans une position assise afin de se connecter clairement avec les énergies et les parties du corps dans lesquelles elles coulent. Ceci aussi afin d'éviter des états de nausées ou de tournis les toutes premières fois où on l'effectue.

Une fois que vous êtes à l'aise en position assise avec un Dragon en particulier et que vous voulez ajouter des mouvements, commencez par vous lever ou vous mettre à quatre pattes et entonner le mantra avec la respiration, comme d'habitude. Cette fois par contre, laissez votre corps suivre son mouvement dans l'énergie, telle qu'elle surgit. A chaque fois que vous réitérez l'expérience, cela peut être une différente danse ou un enchaînement de mouvement qui vous est propre qui se crée. Pour les groupes, encouragez le même flux organique individuel au lieu d'enseigner des mouvements spécifiques, mais dansez tous avec le même dragon afin de ne pas engendrer trop de chaos énergétique avec le mélange des énergies.

Vous allez aussi expérimenter une montée spontanée d'énergie semblable à kundalini et un flux d'énergie sexuelle en travaillant avec les Dragons. Ceci est spécialement puissant lorsque vous mélangez votre énergie avec celle d'un autre dragon dans une union sexuelle. Très souvent, cela amène une soudaine et naturelle montée d'énergie tantrique à travers tout le corps, ce qui donne lieu à des orgasmes de tout le corps ou à des orgasmes de chakras individuels. Cela dépend des dragons présents à ce moment, particulièrement pour ceux d'entre vous qui sont des Dragons du Cœur ou des Dragons Gardiens en partenariat avec votre contrepartie Dragon (p. ex. un Dragon gardien de l'Air avec un Dragon du Cœur de l'Air).

Quoi qu'il en soit de l'expérience que vous vivez, sachez qu'elle est divine et qu'elle vous amène à relâcher de plus en plus votre corps, jusqu'au niveau cellulaire, autorisant une ouverture plus large des chemins dans votre corps et dans vos cellules qui permettent l'ancrage des grilles cristallines de votre corps de lumière.

©Jaemin Kim

Les Dragons INTERDIMENSIONNELS D'ORION

LA GROTTE SACRÉE GALACTIQUE

Les Dragons d'Or, d'Argent et de Cuivre sont les Dragons Interdimensionnels d'Orion. Ils sont notre lien avec les anciennes générations, plus spécialement le Conseil des Elohims qui est directement associé avec la Terre et son évolution. Ils nous apportent les informations qui viennent de tous les systèmes stellaires du Grand Soleil Central et nous assistent afin que nous nous souvenions de notre lien avec le "Tout Ce Qui Est". Ils transportent ces informations vers nous à travers la grille énergétique du Grand Système Solaire Central.

Il y a sur notre planète des Gardiens – Dragons de la race de ces Dragons qui sont également de la lignée des Elohims et donc associés avec les étoiles spécifiques du système d'Orion. Ces Dragons marchent avec beaucoup d'individus qui sont intègres et clairs dans leurs intentions même s'ils ne sont pas eux-mêmes des Dragons Gardiens. Ceci car ces Dragons vont dans des endroits qui subissent d'importants bouleversements afin d'y maintenir une présence et si trop peu de Dragons Gardiens se trouvent à cet endroit, ils vont se tenir avec des personnes capables de porter leur énergie.

LE DRAGON INTÉRIEUR

Donc, dans des lieux que nous considérons comme très denses, les plus bas, les plus inconscients de la planète (organisation gouvernementales, corporations, endroits où la religion asservit et contrôle), il y a des énergies qui entrent régulièrement dans ces lieux marchant avec un être conscient qui y travaille, ou les traversent en créant de subtiles et discrets changements, pourtant très puissants.

Les Dragons Interdimensionnels sont androgynes, les polarités mâles et femelles en parfait équilibre. En travaillant avec eux, vous allez expérimenter en même temps la présence féminine et masculine, en fait un seul Dragon. Ils sont très grands, comme on pouvait s'y attendre, puissants tout en étant doux et iradiant la fréquence de l'Amour. Rien qu'en étant en leur présence, on ressent la plus pure émanation de l'intégrité, de l'équilibre, de la clarté et de l'amour. Par facilité de langage, je me réfère à eux en disant "il" ou "elle", selon la forme sous laquelle l'information m'a été transmise et quel aspect du Dragon me semblait le plus présent à cet instant. Mais gardez à l'esprit qu'ils sont réellement les deux sexes à la fois.

Il est également primordial d'être vraiment conscient que l'on peut probablement entrer en contact, de façon basique, à n'importe quelle étape avec les Dragons Interdimensionnels mais les bénéfices seront encore plus grands si vous avez préalablement travaillé avec les Dragons Elémentaux, Noirs, Blanc et de Cristal. Y rajouter le travail avec les Dragons Interdimensionnels apportera une puissance et une profondeur de connexion qui mèneront au nettoyage, à la transformation, à l'activation et à l'ancrage du corps de lumière.

On peut travailler avec eux dans l'ordre que l'on souhaite quoique méditer d'abord avec le Dragon d'Or, ensuite ceux d'Argent et de Cuivre me semble la manière la plus naturelle de progresser en relation avec l'énergie qu'ils apportent. Vous constaterez en travaillant avec eux qu'ils ne vous amènent jamais au-delà de ce que vous êtes prêts à recevoir. Ceci s'applique spécifiquement au Dragon de Cuivre qui sera votre escorte dans le Hall de la Connaissance. Il existe des niveaux d'accès que votre degré d'initiation déterminera naturellement. Comme avec tous les autres Dragons, avoir une image d'eux devant vous ou la visualiser, porter une pièce de métal ou une pierre les caractérisant aide grandement à amplifier et à attirer l'énergie en vous.

LE DRAGON D'OR

- » Associé à RA (Mintaka) – l'étoile de droite de la ceinture d'Orion
- » Apport: protection et pouvoir
- » Pierre/Métal: l'or brut
- » Mantra: Mee   Raa (Mii Raa)

Le Dragon d'Or émane du système stellaire de RA et il se nomme ZhiRa. Méditer avec lui, c'est être attiré dans le soi du royaume interdimensionnel de protection. Le Dragon d'Or vient non seulement nous protéger, mais nous enseigner comment se guérir soi-même et travailler avec de nouvelles techniques pour soigner les autres, si nous sommes guérisseurs.

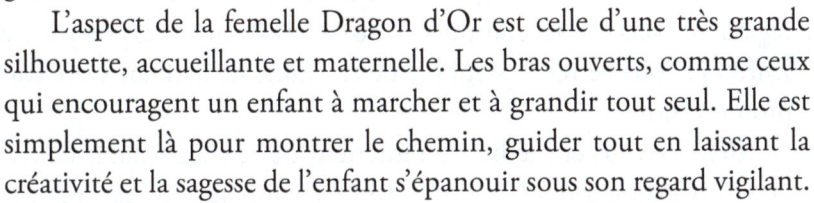

L'aspect de la femme Dragon d'Or est celle d'une très grande silhouette, accueillante et maternelle. Les bras ouverts, comme ceux qui encouragent un enfant à marcher et à grandir tout seul. Elle est simplement là pour montrer le chemin, guider tout en laissant la créativité et la sagesse de l'enfant s'épanouir sous son regard vigilant.

L'aspect du Dragon d'Or mâle est plus proche de celui d'un gardien tel qu'on l'imagine, comme un guerrier gardant une porte. Nous pouvons l'appeler à n'importe quel instant pour lui demander de nous protéger. Spécifiquement, lorsque nous effectuons un travail qui requiert une très grande ouverture de notre être le plus profond, et que nous sommes donc totalement vulnérables. Il est particulièrement utile d'appeler ZhiRa lors de la méditation avec les Dragons Noirs ou du Feu lorsque vous sentez que vous pénétrez dans des régions noires et sombres.

La respiration du Dragon d'Or est l'un des outils qu'il nous apporte afin de nous connecter profondément à lui et de trouver, à l'intérieur de lui, un espace de répit. En pratiquant la respiration du Dragon d'Or, le corps devient, à chaque cycle, de plus en plus relaxé et de plus en plus clair.

La respiration du Dragon s'effectue en maintenant les mains ouvertes, droites, de chaque côté de la tête, au niveau des oreilles, avec une légère courbure du haut du dos de façon à aligner les mains avec les épaules. Pressez les pouces de chaque main sur le petit renflement à la base des petits doigts, et refermez les 4 doigts sur le pouce. Serrez les dents, étirez les lèvres en largeur et respirez profondément dans votre abdomen. Effectuez 10 cycles d'inspiration / expiration en vous concentrant sur votre souffle. Sur les prochains 10 cycles, ajoutez le son du mantra "Miii" sur l'inspire. Notez que sans le serrement des dents, le son serait quasiment inaudible. Expirez avec le mantra "Raaa". Continuez aussi longtemps que vous le pouvez mais au minimum durant 10 minutes sans arrêt.

Vous sentirez ZhiRa descendre et se tenir devant vous. A ce point, vous reconnaîtrez un symbole sur son abdomen. Continuez les respirations avec la conscience de cette impressionnante présence. Maintenez le rythme, émettez toujours le mantra et ce jusqu'au moment où vous serez aspiré dans le ventre du Dragon. Là, vous regarderez vers le bas, comme si vous le faisiez au travers de yeux de ZhiRa et vous verrez le symbole de la chaîne de diamants sur votre propre ventre.

Relaxez-vous et méditez à l'intérieur de ce cocon doré. Un état de béatitude est atteint et votre propre champ aurique est rechargé. Il devrait y avoir des bandes d'énergie dorée se mouvant de haut en bas dans tout votre champ énergétique jusqu'au moment où vous décidez de reprendre conscience du plan terrestre. Tenez un journal de vos expériences car chaque séance de méditation avec les Dragons interdimensionnels apporte différents niveaux d'expérimentation et de conscience.

Plus vous travaillez avec le Dragon d'Or, plus vous arrivez rapidement dans ces espaces et plus vite vous vous sentez totalement enveloppés dans une gaine d'or. Vous ressentez les pulsations des bandes de lumière dorée montant et descendant simultanément, dans tout le champ. Lorsque vous atteignez ce stade assez vite, vous pouvez passer du temps dans cet endroit en continuant à chanter le mantra au lieu de simplement rester concentré (au départ, vos mains sont toujours dans la même position, poings fermés, mais dès que vous sentez que vous entrez en profonde méditation, baissez vos bras).

Vous continuez ainsi à appeler les énergies du Dragon d'Or dans des niveaux de plus en plus profonds. C'est alors que vous commencez à expérimenter l'ancrage des points qui connectent votre corps de lumière au plan physique. On peut atteindre des niveaux encore plus profonds en méditant simultanément avec les Dragons d'Argent et d'Or, mais commencez tout d'abord à travailler avec chacun d'entre eux individuellement.

Pour le travail avec les deux Dragons, vous appellerez en premier lieu le Dragon d'Or et ce jusqu'à l'arrivée des sensations familières d'être enveloppé par une lumière dorée et de celles des pulsations des bandes qui se meuvent autour de vous. A ce moment, entonnez le mantra du Dragon d'Argent : Mii Raa Houou Iii Soyez certains de maintenir la posture faciale adéquate avec cette respiration soit les mâchoires serrées, sur le Mii Raa, la langue roulée en tube sur le Houou, puis relâchez et pour finir le serrement de la gorge sur l'émission du Iii.

Vous allez remplir les rivières de lumière argentée qui entrent dans votre cœur et remplir le centre de lumière dorée. Continuez à entonnez le mantra et restez dans cet espace aussi longtemps que vous le souhaitez. Ceci poursuit l'ancrage des points et des connexions des brins éthériques de l'ADN dormant dans le corps de lumière avec ceux du corps physique, actifs dans notre corps. Cet exercice peut être effectué aussi fréquemment que vous le ressentez bon pour vous. Le plus souvent vous le faites, plus il devient facile de rester connecté au corps de lumière, à tout moment.

Depuis cet espace, appelez le Dragon de Cuivre, il vous mènera dans le Hall de la Connaissance (les mémoires Akashiques) directement à votre livre personnel, posé devant vous. Cela sera votre choix de l'ouvrir et de vous y glisser afin de réaliser vos propres découvertes, et même de voir la magnifique couverture que vous avez créée. Elle sera un puissant outil à ramener avec vous. Vous pourrez la dessiner, la bâtir, la peindre … quelle que soit la forme physique pour laquelle vous opterez et qui vous semblera la plus adéquate pour vous ou… aucune d'entre elles. Simplement visualiser cette image vous suffira. Pour certain, cela peut devenir un objet très puissant à rajouter sur votre autel sacré.

LE DRAGON D'ARGENT

» Associé à AN (Alnilam) – l'étoile centrale de la ceinture d'Orion
» Apport: la paix
» Pierre/Métal: argent liquide brut
» Mantra: Huu Eee (Houou Iii)

Le Dragon d'Argent, connu sous le nom de RiaNNa, nous atteint à travers l'étoile centrale d'AN, dans la ceinture d'Orion. Elle apporte la paix réelle dans le royaume du cœur. Méditer avec elle nettoie les poumons et le cœur des anciennes peines et blessures émotionnelles qui y sont stockées. La circulation sanguine qui traverse ces deux organes est purifiée, éclaircie et oxygénée d'une nouvelle façon alors que le cœur se relâche au point d'être totalement ouvert et centré sur l'intention. En respirant avec le Dragon d'Argent, vous sentez que le souffle se dirige directement vers le cœur lors de l'inhalation, remplissant le cœur de l'énergie d'argent liquide qui est celle du champ énergétique des Dragons.

Pour commencer la méditation avec le Dragon, posez vos mains à plat, l'une sur l'autre, paumes vers le haut, les pouce se touchant légèrement pour fermer le circuit énergétique créé. Généralement, les femmes posent la main droite sur la gauche et vice-et-versa pour les hommes. Ensuite, concentrez-vous sur la respiration. Formez un tube avec votre langue, les deux bords se repliant le plus possible en direction du milieu et respirez à l'intérieur du tuyau. Maintenant, relâchez la langue et expirez depuis l'arrière de votre gorge, en resserrant le fond de la langue contre l'arrière de la gorge, le plus que possible de manière à ce que la sortie de l'air soit restreinte et donc plus lente. Sur la prochaine inspiration, roulez à nouveau la langue, respirez, relâchez la langue, serrez la gorge et expirez, etc. Lorsque vous vous sentez confortable avec cette respiration, ajoutez-y le mantra.

Exprimez le son "houu" à l'inspire et toujours par le tube que fait votre langue et le "Iiii" sur l'expiration, toujours avec le resserrement de la gorge. A nouveau, il est judicieux d'avoir une représentation de Dragon devant vos yeux, ou tout au moins de visualiser le ventre du Dragon devant vous. Travaillez pendant environ 10 minutes ou jusqu'à ce que vous ayez la réelle sensation d'avoir le Dragon d'Argent devant vous et voyiez le symbole sur le ventre du Dragon lui-même. Continuez encore et vous serez absorbé dans son ventre tout en ressentant une totale paix du cœur. Vous serez totalement centré, d'une façon inhabituelle. Lorsque vous atteindrez cet état, vous serez capable de regarder avec vos yeux intérieurs, dans votre propre ventre et vous y verrez le symbole maintenant renversé, face à l'extérieur.

Laissez fondre votre cœur et être guéri. Apportez à chaque session les choses qui vous maintiennent loin de l'expérience de l'Amour vrai et de la connexion avec le "tout ce qui est" – tous les êtres vivants, que se soit des humains, des élémentaux ou la Terre elle-même. Gardez-les dans votre cœur et ressentez les peines, la colère, les coups aux cœur etc. qu'ils font s'élever en vous, et respirez dans la lumière guérisseuse du Dragon d'Argent. Demandez-lui de dissoudre toutes ces anciennes blessures pour vous de façon à vous en libérer pour toujours. Ces meurtrissures vous maintiennent dans un état de dualité et de séparation alors que votre âme se languit de retrouver l'unité et son vrai état d'être.

Ces blessures peuvent venir de votre propre expérience; d'autres qui peuvent surgir d'ailleurs guérissent et transmutent la conscience collective qui a été tellement abusée et blessée au cours des siècles: les hommes au-dessus des femmes, les femmes au-dessus des hommes… cycle après cycle de matriarcat-patriarcat. Il est temps de ramener un équilibre à ces cycles et le Dragon d'Argent est là pour nous y aider. A chaque fois que nous travaillons avec elle, nous nettoyons des débris du corps collectif, qui sont alors dissout. Nous l'honorons en permettant ces dissolutions car, plus elles disparaissent, plus la lumière d'argent peut être ancrée dans la réalité et dans Gaïa elle-même pour l'ancrage de son propre corps de lumière.

Il y a une autre expérience avec RiaNNa, le Dragon d'Argent, soulignée dans le paragraphe qui concerne le travail avec plusieurs Dragons à la fois. Ceci implique de méditer avec les Dragons d'Argent et de l'Eau ensemble. Ils sont tous deux très proches, et vous allez expérimenter l'un des niveaux les plus profond de présence dans le cœur lors de leurs guérisons combinées.

LE DRAGON DE CUIVRE

- » Associé à EL (Alnitak) – l'étoile de gauche de la ceinture d'Orion
- » Apport: force de la sagesse
- » Pierre/Métal: cuivre brut
- » Mantra: Huu Raa (Houou Raa)

Le Dragon de Cuivre d'EL, connu sous le nom de Mazlo, vient à nous avec la sagesse des Anciens, plus particulièrement la descendance d'EL qui était sur cette planète dès le début, ce qui nous permet de comprendre plus clairement l'histoire de la Terre.

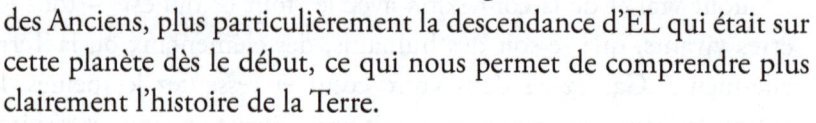

Pour commencer à méditer avec le Dragon de Cuivre, positionnez vos doigts de façon à ce que l'index et le majeur se touchent. Laissez les autres doigts et le pouce se replier légèrement sur la paume tout en maintenant une pression sur les deux doigts tendus afin qu'ils fassent un angle de 90° avec la paume. La posture correcte devrait ressembler aux griffes des serres d'un dragon se rejoignant.

Respirez plusieurs fois calmement avant d'entonner le mantra. Relâchez votre bouche et faites un "O" avec vos lèvres, sans les crisper. Inspirez et expirez, puis inspirez bruyamment profondément dans le ventre, laissant la respiration exprimer des sons gutturaux dans le fond de la gorge au moment où l'air passe. N'importe qui placé derrière la porte pour vous écouter devrait avoir le sentiment qu'un Dragon est assis juste à ses côtés, profondément concentré sur quelque chose. Continuez pendant quelques minutes, laissez-vous sombrer dans un profond état de relaxation.

Puis, entonnez le mantra sur une expiration, le son "Ouuu" émanant du plus profond de la gorge. C'est un son fort et guttural qui implique un travail de respiration du fond du cou. Quand vous inspirez, émettez le "Raaa" également du plus profond et de l'arrière de la gorge. Continuez sur ce rythme encore 10 minutes. Il est favorable d'avoir une représentation de Dragon devant soi (où de le visualiser) en effectuant ces respirations.

A un moment donné, vous allez ressentir le Dragon de Cuivre devant vous. Continuez à respirer jusqu'à ce vous soyez réellement attirés dans le ventre du Dragon à un point tel que vous basculiez en profonde méditation. Laissez s'effectuer le téléchargement de toutes les informations qui surgissent car c'est pour vous, dans l'intention de ce voyage avec lui, qu'il les a réservées. Une énorme force de sagesse se dégage et c'est justement ceci que vous apporte le Dragon de Cuivre. Vous êtes assis dans la Chambre de la Connaissance, et cela va vous mener à redécouvrir différentes forces que vous aviez déjà connues auparavant.

Chaque fois que vous travaillez avec le Dragon de Cuivre, vous êtes emmenés dans d'autres endroits, toujours dans le Hall de la Connaissance, afin de recevoir les informations que vous êtes prêts à recevoir. Certaines de ces données peuvent ne pas être conscientes ou ne pas être aptes à être traduites dans un langage propre à notre dimension. Soyez confiants que l'information est transmise à vos cellules et sera amenée plus loin quand cela sera approprié de le faire.

Vous atteindrez le niveau le plus profond avec le Dragon de Cuivre lorsque vous aurez travaillé successivement avec les Dragons Elémentaux, Intergalactiques et Interdimensionnels. Ceci est expliqué dans le chapitre sur le travail avec les Dragons d'Or et d'Argent ensemble, sous la section du Dragon d'Or.

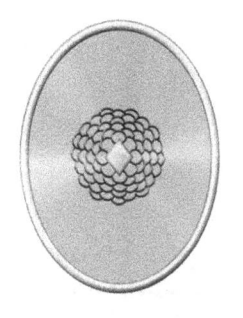

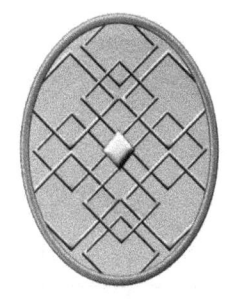

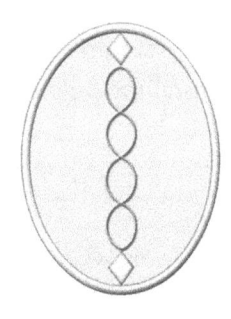

Les Dragons INTERDIMENSIONNELS DE SIRIUS

L'ESPRIT GALACTIQUE

Les énergies des Dragons de Sirius sont des octaves supérieures à celles des Dragons d'Orion et elles nous atteignent par l'intermédiaire du portail des trois étoiles de la ceinture d'Orion: El, An et Ra. Ces énergies voyagent dans un circuit en forme de lemniscate dont l'origine est le système sirien, le point de resserrement se situe dans la ceinture d'Orion ensuite la boucle se reforme pour toucher la Terre avant de revenir à son point de départ. Ceci forme une trinité parfaite de trois boucles infinies entre la lignée des dragons du système Sirius-Orion-Terre. Lorsque nous les appelons et nous connectons à elles, ces lignes énergétiques de la grille du soleil galactique s'activent.

En activant cette grille énergétique galactique, une plus grande partie de votre propre matrice cristalline devient disponible. Après avoir atteint le point culminant du travail avec les Dragons Noirs, Blancs et de Cristal et avoir ensuite médité avec les Dragons d'Or, d'Argent et de Cuivre, assez de chemins internes physiques ont été ouverts afin que les points de connexion de notre propre matrice cristalline puissent être activés dans le corps humain.

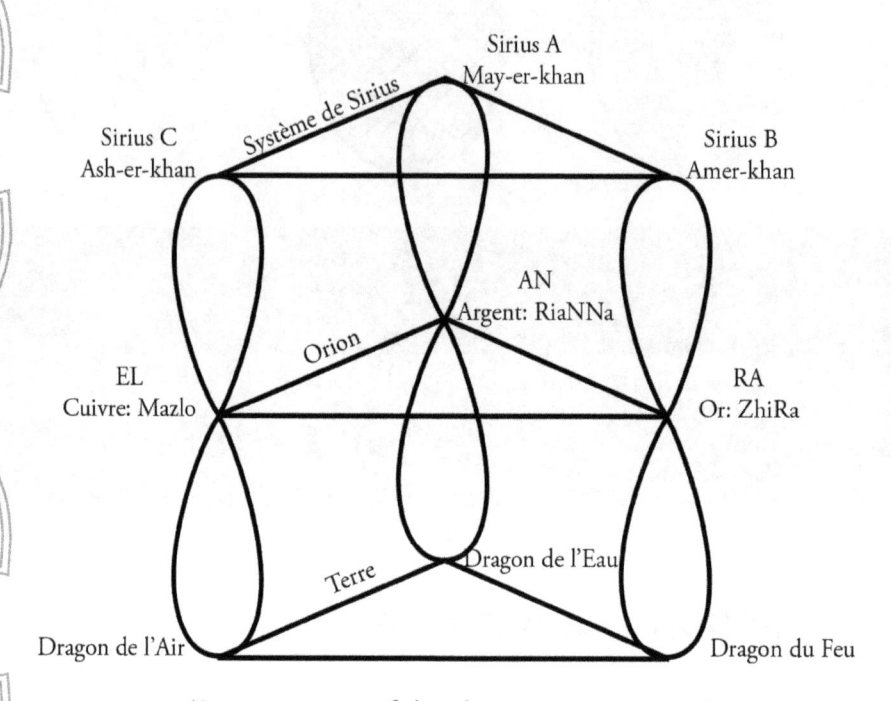

```
                        Sirius A
                       May-er-khan
            Système de Sirius
   Sirius C                              Sirius B
   Ash-er-khan                           Amer-khan

                          AN
                      Argent: RiaNNa
              Orion
     EL                                   RA
   Cuivre: Mazlo                        Or: ZhiRa


                              Dragon de l'Eau
                Terre
   Dragon de l'Air                      Dragon du Feu
```

(See expansion of this diagram on page 127)

Ensuite, les Dragons de Sirius nous mènent à la prochaine étape, l'ouverture des chemins géométriques de la lumière cristalline, dans la matrice cristalline de notre corps physique. Il y a onze niveaux de géométries de lumières cristallines et tous sont associés et gouvernés par les Elohims. Chacun de ces 11 niveaux contient 7 géometries distinctes associées, ce qui donne un total de 77 géometries cristallines et encodages à accéder et intégrer pour chacun de nous. Cette connaissance est détenue dans Sirius où se trouvent les gardiens de l'activation des mécanismes de l'horloge des géométries de la lumière universelle. Une fois ouvertes, les géométries peuvent être activées par transmission directe.

Comme pour tous les autres Dragons Interdimensionnels, ils sont totalement androgynes et je les nommerai indifféremment « il » ou « elle » selon l'aspect le plus marquant pour le contexte en question. Quand vous expérimenterez chacun d'entre eux, vous allez probablement à nouveau ressentir la sensation de vous faire aspirer à l'intérieur de leur ventre, comme vous l'avez vécu avec les Dragons d'Orion. Mais, cette expérience est différente pour chaque personne, certains par exemple, se sentent infusés dans le métal en fusion dont le Dragon est fait.

LE DRAGON DE SIRIUS A: MAY-ER-KHAN

» Associé avec le côté féminin de la double lemniscate dans notre propre circuit
» Apporte: l'équilibre féminin
» Pierre/Métal: le titanium liquide
» Mantra: Mai-er-khan Ong Ro (chanté)

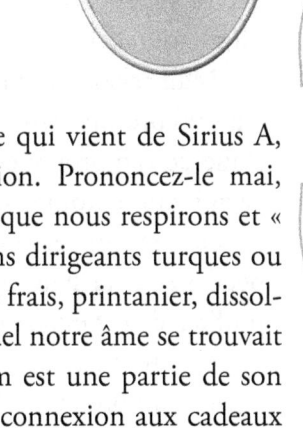

Mai-er-khan est la magnifique présence qui vient de Sirius A, constellation de Sirius, dans notre direction. Prononcez-le mai, comme le mois de mai, « er » comme l'air que nous respirons et « khan » comme canne, ou le titre des anciens dirigeants turques ou mongols. Mai-er-khan arrive telle un souffle frais, printanier, dissolvant tous les résidus du long hiver dans lequel notre âme se trouvait et ce simplement par sa présence. Son nom est une partie de son mantra, parcelle de sa chanson et de notre connexion aux cadeaux guérisseurs qu'elle nous amène. A la suite de son nom, le mantra se prolonge avec le son « ong » en allongeant le « on » de façon nasale pour finaliser avec un son d'arrière gorge qui roule à peine sur la syllabe « ro » comme le roulis d'un bateau.

Pour la faire venir, commencez à vous asseoir et amener votre concentration sur votre respiration. Une fois centrés, commencez à émettre son magnifique nom en boucle, encore et encore de manière très douce. A un moment donné, vous ressentirez le besoin de chanter le mantra en entier. Il dansera alors dans et autour de vous avec sa propre intonation. Dès que cela se produit, Mai-er-khan glissera

LE DRAGON INTÉRIEUR

discrètement et directement devant vous, immense et magnifique. Fixez-la jusqu'à l'instant où vous verrez ou sentirez clairement le symbole sur son ventre.

En regardant à l'intérieur du ventre de Mai-er-Khan, on peut voir la matrice ou l'expansion de la forme féminine qui fleurit hors de l'horloge du coeur de l'Univers. Elle détient le lien manquant, le son et les codes de lumière, de l'activation du circuit complet de la grotte sacrée – la partie du Divin Féminin – à l'intérieur de notre corps physique et ce pour les hommes comme pour les femmes. Tant que cet endroit n'est pas nettoyé et activé, nous ne pouvons pas expérimenter l'Union Divine à l'intérieur de nous ou avec un partenaire. Ainsi, Elle est, pour ainsi dire, la dernière étape, le point culminant, du travail avec les autres Dragons de Sa lignée – les Dragons de l'Eau, de Cristal et d'Argent, chacun étant situé sur une octave supérieure à l'autre. Par essence, Mai-ir-Khan est l'octave la plus haute de la lignée des Dragons de l'Eau.

Maintenez la respiration et le mantra jusqu'à ce que vous arriviez dans un profond espace dans lequel le mantra soit se dissipe soit continue de son propre chef, naturellement. En prenant conscience de ce qui vous entoure, vous sentirez peut-être le titanium liquide luire et vous envelopper ainsi que la matrice féminine un peu comme des pétales se détachant d'une fleur, de tous les côtés. Réjouissez-vous, profitez de cet espace et laissez-vous totalement aller, envelopper.

En faisant cela, vous allez peut-être vous sentir partir dans un espace sombre et profond. Elle vous porte encore plus profondément en vous où vous pourriez ressentir une boule de cristal ou un vase devant vous avec une fleur à l'intérieur. Si cela est le cas, examinez la fleur, de quelle sorte s'agit-il ? De quelle couleur est-elle ? Est-elle ouverte ou fermée ? Rigide ou souple ? Où que vous vous trouviez, Elle veut partager avec vous les aspects intérieurs de votre vraie nature féminine et l'état dans laquelle elle se trouve. Accordez de l'attention à ces images.

Que ce genre d'information vous arrive ou non, laissez-vous immerger complètement avec Elle, entourer par Elle. Cela peut ressembler à des sensations simultanées de vous étant en Elle et d'Elle en vous. Vous pourriez aussi ressentir la sensation tangible de la présence du titanium liquide coulant en vous, à travers vos cellules. Quelle que soit l'expérience, Elle nettoie, guérit et active votre circuit féminin. Il se peut que des étincelles ou des titillements soient ressentis dans des régions spécifiques entre le troisième oeil et l'alta major, entre l'alta major et la base du chakra racine ou en d'autres parties dans lesquelles l'énergie travaille. Les endroits dans lesquels vous avez ces sensations méritent une grande attention de votre part.

Il est possible que vous sentiez la présence du Dragon d'Argent en méditant avec Mai-er-khan car ils travaillent conjointement à l'activation du circuit féminin dans le corps. Quoi qu'il en soit de l'expérience, prenez note des informations données. Elle essaie de communiquer avec vous. Restez présent en Elle aussi longtemps que vous sentez le travail se faire et quand vous sentirez que c'est terminé, envoyez un message de gratitude depuis votre coeur et autorisez-vous à revenir doucement dans votre environnement habituel.

Chaque fois que vous travaillerez avec Mai-er-khan, Elle vous révélera, nettoiera, guérira et activera de nouvelles parties. Si vous vous sentez appelé à travailler avec elle, c'est qu'il y a apparemment plus encore à faire. Sinon, assurez-vous que cette sensation n'est pas un moyen subtil d'éviter de travailler sur une partie de vous que vous ne souhaitez pas reconnaître.

LE DRAGON DE SIRIUS B : AMER-KHAN

- » Associé avec la partie masculine de la lemniscate de notre circuit.
- » Apporte: l'équilibre masculin, le modèle du Divin masculin
- » Pierre/Métal: le mercure liquide
- » Mantra: Amer-khan Haa Tou (respiré)

Amer-Khan arrive rapidement, prosaïquement, avec une intention bien définie, comme les autres dragons de Sa lignée avec lesquels vous avez déjà travaillé – le Dragon du Feu, le Dragon Noir et le Dragon d'Or. Il est là pour vous assister dans l'ancrage de votre Divin Masculin et activer tous les codes liés aux aspects masculins dans votre matrice cristalline en expansion.

En regardant dans son ventre, on peut y voir la matrice de la forme masculine émanant de l'extérieur de l'horloge du coeur de l'univers. Prononcez Amer, comme un goût « amer », et khan comme le titre des anciens dirigeant de l'Asie. Afin de travailler avec cet être puissant, asseyez-vous en position de méditation et commencez à chanter son nom en l'appelant à l'intérieur de votre sphère.

A un certain moment donné, vous le percevrez regardant directement dans vos yeux, vous rencontrant, front contre front. Il se connecte à vous par votre troisième oeil afin de vérifier si vous êtes totalement prêts pour l'activation. Si vous l'êtes, Il se positionnera devant vous, de façon à ce que vous puissiez voir ou ressentir le symbole sur son ventre et commencer à respirer Sa forme de mercure liquide à l'intérieur de vous. A ce moment, ajoutez le son Haa Tou, expirant le Haa comme une longue expulsion d'air et le Tou avec un son « ou » prolongé. Chantez le mantra en entier, « Amer-khan Haa Tou » jusqu'à ce que vous vous sentiez glisser ou aspirer dans Son ventre.

Vous vous sentirez peut-être dans un brouillard de formes géométriques mouvantes, le plus souvent en forme de diamant. Continuez à émettre le mantra tout en demandant à être introduit plus profondément dans son corps. Lorsque vous allez glisser en avant, vous vous sentez simplement lourd, épais et dense. Que vous le ressentiez ou non, vous êtes rempli de mercure liquide. Pour certains, c'est la seule étape qu'ils ressentent. Demeurez tranquillement dans l'expérience le plus longtemps possible, ayez confiance dans le processus, et restez dans une espace de gratitude et réception.

Si vous éprouvez de la douleur ou des sensations de picotement à la base du cerveau et à l'amygdale au centre du cerveau, cela indique l'activation des points de la matrice du Masculin Divin en vous, ce qui a du sens car l'aspect masculin est typiquement plus identifié au mental. Si vous ne sentez rien, ayez simplement confiance dans le processus, sachant qu'Amer-khan travaille à sa magie et que vous recevez ses cadeaux.

Si vous avez mal quelque part, restez tranquille jusqu'à ce que la douleur se dissipe. Si un mal de tête perdure, vous allez à nouveau ressentir la sensation de tranquillité, de lourdeur et de densité qui alterne avec le sentiment d'être ce mercure liquide puis, à un moment donné, vous serez comme suspendu au milieu d'une caverne vide. Ce vide peut ressembler à celui du vide de la création à l'intérieur de la grotte sacrée du divin féminin mais les sensations sont radicalement différentes. Là, le vide est ressenti comme rempli de structures et de formes. C'est l'équilibre nécessaire de l'union du flux féminin de la créativité et du vide de la grotte sacrée pour réaliser la véritable création.

Restez alignés, tant que vous sentez une activité et quelles que soient les sensations que vous expérimentez dans cet état de profonde méditation. Quand une sensation de complétude vous submergera, demandez à être guidés vers la sortie. Une fois de plus, vous serez conscients des champs perpétuels de figures géométriques en mouvement et après une douce glissade, vous serez à nouveau devant Amer-khan. Penchez-vous en avant en signe de profonde gratitude et demandez-lui, quand il sera nécessaire pour vous de l'appelez à nouveau. Si nécessité il y a, mais le plus souvent il faudra plusieurs séances, à intervalles spécifiques, afin de finaliser le travail.

LE DRAGON DE SIRIUS C : ASH-ER-KHAN

- » Associé à l'activation complète des lemniscates dans notre corps
- » Apporte : l'Union Sacrée
- » Pierre/Métal : le platinium liquide
- » Mantra : Ash-er-khan Ir Ma (respiré)

Ash-er-khan réside dans le système de Sirius C et nous apporte le point culminant, le plus haut niveau de travail, qui puisse être accompli avec les dragons en ce qui concerne l'intégration dans la forme physique du corps humain. Son cadeau est de réunir complétement les deux parties du noeud infini mâle et femelle du circuit énergétique à l'intérieur de notre corps. Si nous transposions le noeud infini qui est Son symbole dans le centre de notre corps, il s'étendrait du chakra coronal au chakra racine.

Pour travailler avec lui, vous allez tout d'abord demander à Mai-er-Khan et à Amer-khan d'activer leurs étincelles dans la partie des boucles du lemniscate qui leur sont propre, soit celle de l'activation du Divin Féminin et réciproquement du Divin Masculin. VOUS NE POUVEZ PAS MEDITER AVEC ASH-ER-KHAN TANT QUE VOUS N'AVEZ PAS TRAVAILLE AVEC LES DEUX AUTRES DRAGONS DE SIRIUS A ET B. De la même manière que les énergies et encodages complets que le Dragon de Crystal apporte ne peuvent pas être reçues avant de finaliser le travail avec les Dragons Noir et Blanc, sans les fondations en place, l'Union Sacrée intérieure que Ash-er-Khan active ne peut pas avoir lieu.

Ash-er-khan se prononce comme Amer-khan en remplaçant le Am par le son « Ache ». Asseyez-vous confortablement et ralentissez votre respiration, centrez-vous et ouvrez-vous. Visualisez son symbole devant vous, dans une dimension terrestre qui convienne aux mesures de votre corps, avec le haut du diamant effleurant le haut de votre tête et la partie basse du diamant s'ajustant à votre os pelvien. Ce symbole est le double lemniscate de l'union sacrée, le point d'accès à des niveaux plus élevés de l'univers qui mène l'individu à la prochaine étape de son accession et à une nouvelle forme de l'ADN humain qui est représentée par la forme du diamant au haut du symbole. Le diamant du bas signifie le mécanisme de notre univers.

Maintenant, appelez les Dragons A et B de Sirius en utilisant leur mantra. Mai-er-khan devrait être chanté alors qu'Amer-khan est respiré. Lorsque vous émettez le son Mai-er-khan Ong Ro, ressentez la première partie du double noeud se mettre à vivre depuis le point le plus haut puis alternativement depuis la base, remontant dans la partie supérieure alors que l'autre lemniscate s'active lorsque vous entonner son mantra Amer-khan-Haa-Tou. Continuez jusqu'à ce que des vibrations intenses se fassent ressentir.

A ce moment, ajoutez l'appel à Ash-er-khan. Le « ir » se prononce en roulant le « r » et peut être émis dans des longueurs variées, selon ce que vous ressentez juste pour vous avec le son « Ma » en tant que fermeture. Chantez les trois parties en boucle. Il se peut que vous entendiez une sonnerie dans vos oreilles ou un tintement tout au long du circuit, particulièrement dans le cerveau. A un certain point, les métaux liquides des trois créeront une lourdeur dans le corps, alors que l'esprit se sent incroyablement léger. Ce sont deux des oppositions de la dualité, représentées par le Divin Masculin et le Divin Féminin s'unissant mais cela figure également tous les aspects de la dualité qui sont apportés dans l'unité et l'équilibre à l'intérieur de chacune de vos cellules. Cette pièce finale, à l'intérieur de votre corps, va autoriser le commencement d'un niveau de travail plus élevé avec votre forme cristalline... menant à l'expansion du nouvel ADN de la forme humaine parfaite.

Très souvent, cette expérience est si intense pour la forme physique que le corps ressent un énorme besoin de dormir. On se sent si lourd et en même temps si léger que dormir est inévitable. Laissez-vous tomber dans les bras de Morphée afin que votre corps puisse recevoir la plus haute intégration. Ash-er-khan vous guidera, protégera et embrassera tout au long du sommeil qui suivra la séance. Vous dormirez peut-être seulement 20 minutes, ou plus longtemps selon votre besoin. Lorsque vous émergerez du sommeil, restez encore en silence pendant 10-15 minutes de façon à amener à la conscience tout ce que vous avez reçu. Ash-er-khan est le seul Dragon qui ne dévoile jamais Sa forme. Il se laisse simplement ressentir à tous les niveaux. Envoyez-Lui votre gratitude, inclinez-vous devant son immense présence et quand vous serez prêts, laissez votre attention redevenir consciente, à nouveau, de ce qui vous entoure. Vous souhaiterez compléter votre journal même si très probablement vous ne vous souviendrez que de peu de chose. L'Univers est un paradoxe!

Les Dragons Primordiaux de la Terre

TIAMAT ET LA TRINITÉ DE TIAMAT

» Associé à l'ombre : Elle est la gardienne de l'ombre

La Trinité de Tiamat est la trinité énergétique des dragons chaotiques située à Sumer, au Tibet et dans le centre da la planète. Le plus grand de ces trois Dragons est Tiamat. Elle est à la fois la mère de la forme dans le plan de la 3e dimension – elle a donné naissance à la planète – et le gardien du processus ascensionnel de Gaïa, et ce depuis la création et la prise de conscience de Gaïa elle-même. Les deux autres sont essentiellement les ovaires de Tiamat. Historiquement, ils ont donné accès aux plus anciennes connexions énergétiques des dragons.

Malheureusement, à cause de malentendus et de l'usage inapproprié de ces anciennes énergies, ils se sont refermés et leurs connexions ont été perdues pendant des éternités. Les anciens Sumériens (la religion actuelle de l'Iran) savaient comment utiliser les forces de ce Dragon et ils en ont perdu le contrôle. Au lieu de l'utiliser pour la lumière qu'elles pourraient apporter à la planète, ils ont utilisé ces énergies pour basculer dans la magie noire, et leurs abus ont amené à la fermeture des canaux d'énergie du Dragon.

La deuxième fois que cette très ancienne magie a resurgi à la surface, ce fut dans la région du Tibet. Une fois de plus, les abus de ces énergies par les tribus de la région ont provoqué le chaos et des bouleversements. Le Roi du Tibet était frustré de ne pas réussir à introduire le Bouddhisme tibétain dans cette région à cause du haut niveau de magie noire et des arts noirs qui y étaient pratiqués. Il a eu recours à Padma Sambhava qu'il a invité afin d'apprivoiser le Dragon sauvage qui habitait cette région.

Padma Sambhava a passé 13 ans à voyager au Népal, au Bhoutan et au Tibet afin de nettoyer ces régions du démon. Pour réussir à apprivoiser le Dragon chaotique qui encerclait ces pays, il l'a littéralement épinglé sur place en construisant des monastères le long de sa colonne vertébrale. Il a ainsi réussi à convertir le Dragon de devenir le protecteur du Dharma sur terre au lieu de le combattre. Maintenant, ce Dragon protège les êtres et les initiés de ces régions qui sont impliqués dans un profond travail tantrique, spécifiquement dans les grottes à l'intérieur des montagnes.

Padma Sambhava a été l'un des premiers, avec des initiés, à travailler de façon appropriée avec les énergies des Dragons en utilisant une technique qu'il a nommé "le Tantra du Dragon". Elle était utilisée pour activer le circuit des Dragons dans le corps, dans les corps de lumière et pour la planète, de manière similaire à celle qui refait surface actuellement à un plus grande échelle.

La profondeur de la noirceur et du chaos que Tiamat était en train d'ancrer pour la planète était facilement ressentie par les grands maîtres spirituels et les enseignants tel que Padma Sambhava. Jésus, par exemple, durant ses 3 jours de crucifixion, est descendu consciemment dans les couches les plus denses et sombres afin d'y apporter la lumière. Cela a été un profond voyage dans le cœur et le hara de Tiamat. En tant que mère de la forme dans le plan physique, elle porte en elle les dualités qui définissent le plan de la 3e dimension, les voies vers le chaos et les profondeurs les plus obscures ainsi que les piliers de la plus grande Lumière et Unité.

Nous avons été amenés à réaliser que Tiamat est l'élément principal de l'ascension de Gaïa, et par conséquence, de la nôtre. C'est par son relâchement que le hara de Gaïa peut être totalement activé et par l'éveil de son Hara de Dragon que ses corps de lumière pourront être ancrés entièrement dans la matière.

A présent, Tiamat est enveloppée autour du centre de Gaïa, elle donne l'apparence d'étouffer et de cacher ses secrets de connexion à la Vie, et cela a été le cas depuis des éternités. Les secrets que garde Gaïa ne doivent pas être révélés au grand jour avant que l'humanité n'atteigne un certain niveau d'éveil et soit sincèrement prête à s'élever vers le prochain niveau. Cela a été la tâche de Tiamat, en tant que gardienne, d'être effrayante et menaçante, comme le sont toutes les mères protectives, de peur que son enfant ne soit blessé par ceux dont les intentions ne sont pas vraiment pures.

Au premier contact avec Tiamat, on expérimente une présence terrifiante, presque démoniaque. Un œil rouge menaçant nous fixe, nous teste. Elle est une énergie pure du 2e deuxième chakra – le cœur créatif du hara. Sa libération va relâcher une énorme vague de créativité pour l'humanité, processus qui a été bloqué par le fait que chaque être humain avait fermé son propre hara depuis si longtemps… Ce moment est arrivé, et contrairement aux travaux précédents qui ont été effectués avec elle par des maîtres spirituels, maintenant, ce sont des groupes d'individus travaillant ensemble qui vont faire gravir à l'humanité la prochaine marche de notre évolution.

Sa libération va se faire à travers l'Amour. Une intention consciente, un enveloppement de pure lumière blanche, c'est comme cela que Tiamat, son enfant et nous seront libérés.

TIANNOU

» En association avec la lumière, Elle est la mère dans l'antre, la bergère des Dragons

» Apporte: tendresse et grâce

» Mantra: TiaNNou Rou An Nai

TiaNNou et Tiamat sont jumeaux : Tiamat est responsable de la dissolution de l'ancien alors que TiaNNou se révèle avec l'entrée dans le neuf. Pour cinq des grands cycles de la Terre, chacun d'environ 13'000 ans, Tiamat a été mandatée pour être alternativement attachée et relâchée et rattachée à nouveau. Lors de l'accomplissement du cycle final, elle peut être libérée et le vieux mythe de la séparation être dissous. Le nouveau cycle sera de l'embrasser et de l'inclure contrairement à l'ancien mythe qui prônait son rejet, sa mise à mort ou son extinction. Le même modèle de mythe s'applique à chacun d'entre nous et à notre idée de la séparation.

TiaNNou est l'exact opposé de Tiamat dans notre expérience avec Elle. Elles sont toutes deux de grandes, tendres mères mais Tiamat est une féroce protectrice, gardienne de la précieuse Gaïa alors que TiaNNou est celle qui maintient chacun d'entre nous dans le nid du dragon. L'incarnation de la tendresse, de la gentillesse, du don et de la mère nourricière. TiaNNou guérit nos peines et nous rafraîchit lorsque nous tombons dans le sommeil et nous laissons porter par ses nourrissantes embrassades.

Vous pouvez l'expérimenter de manière simple, en vous couchant dans votre lit, soit en vous endormant, soit en vous réveillant, en chantant Son mantra. Ti–aN, -aN comme l'étoile centrale dans la ceinture d'Orion, -Nou en accentuant la longueur du son « ou », Rou, à nouveau avec un long « ou », An, Nai, prononcez « Naille ». Laissez les sons trouver leur propre rythme et la mélodie sortir de votre coeur vers Elle, la Mère Divine.

Imaginez-la vous bercer contre sa chaude poitrine, vous balançant et vous réconfortant comme un enfant. Laissez-la vous materner en vous caressant gentiment le dos ou passant Sa main dans vos cheveux. Commencez par sentir l'ensemble du nid des dragons vous entourer; ils sont de toutes tailles, de toutes les couleurs. Vous sentirez peut-être des bébés dragons sauter sur vos jambes, de haut en bas, comme des massages de joie. Laissez votre coeur ouvert et recevez l'Amour qu'ils vous envoient tous ainsi que la Joie qu'ils souhaitent partager avec vous.

Réjouissez-vous d'être dans ce nid en vous endormant ou à votre réveil, et remplissez votre coeur d'amour en retour. Ils vous réconforteront lorsque vous en aurez assez des peines de la Vie, des douleurs émotionnelles, du voyage humain, des moments de solitude ou lorsque les choses ne semblent pas couler dans le bon sens.

Ressourcez-vous dans TiaNNou en tant que l'un des aspects de la Mère Divine, c'est son rôle Divin.

BARAHA

- » Associé à l'équilibre: Il est le père des dragons dans l'antre. Il supporte, donne à la partie féminine, il sait qu'il reçoit encore plus en retour, l'exemple Divin pour les hommes sur terre.
- » Apporte: la force et le courage
- » Mantra: BaRaha Hou Anou

Ensemble TiaNNou et BaRaha, guérissent notre niveau le plus primaire de sentiment d'abandon, de rejet, d'exclusion et de séparation. TiaNNou est l'exemple vivant du Divin Féminin, devant nous, nous montrant par exemple, les niveaux avec lesquels nous pouvons expérimenter et émettre la tendresse, la grâce, la compassion, la douceur et un champ de force qui souligne tous ces sentiments.

BaRaha, quant à lui, démontre l'exemple parfait du DON masculin, la sexualité sacrée, qui pour le masculin est de donner car il reçoit tant de la femme. Seule la femme peut ouvrir le chemin de retour à la grotte sacrée cosmique pour l'homme, lorsqu'ils franchissent le dernier seuil, dans une union claire, sacrée et totalement libérée. Ainsi, TiaNNou et BaRaha sont des exemples tangibles du mariage sacré.

Quand vous êtes dans le nid avec TiaNNou, si vous souhaitez attirer BaRaha et ses qualités masculines pour vous équilibrer, ou compléter la guérison que vous êtes en train de recevoir, ou simplement pour ressentir la force mâle autour de vous, alors que vous n'avez peut-être pas de présence physique masculine autour de vous au quotidien, Il est prêt à vous accompagner. Il est toujours présent en arrière plan lorsque TiaNNou est là, attendant simplement qu'on l'appelle. Concentrez votre attention sur Lui et entonnez Son mantra…Ba…. Ra…. ha…(chaque syllabe de la même longueur, courte), finalement le Hou avec un « ou » prolongé… et Anou, comme dans TiaNNou.

Chantez jusqu'au moment où vous sentirez Sa présence et son énergie devant, en vous et autour de vous.

LES DRAGONS DE RUBIS, SAPHIR ET D'EMERAUDE DU MILIEU DE LA TERRE

Les Dragons du milieu de la Terre font partie de la grande famille des Dragons Interdimensionnels. Comme les autres, ils sont androgynes, êtres totalement unifiés qui apportent des fréquences spécifiques et des cadeaux pour nous, sur le plan terrestre. Ils émettent d'une dimension spéciale qui pourrait être représentée comme la Terre du milieu, mais il n'est pas important de comprendre la source pour recevoir leurs présents.

Ces trois apportent le pouvoir le plus puissant auquel les humains ont eu accès au cours de toutes leurs civilisations car leurs fréquences sont les plus proches de celles de la sagesse de notre grotte sacrée, sur le plan terrestre. Parce que ces pouvoirs ont été très mal utilisés par l'humanité à chaque fois qu'ils ont été mis à disposition, leur accès est maintenant fermé, gardé de très près par des Etres de haute humanité dont le seul intérêt est celui du coeur. Ceci inclut le Concile du Christ et les puissants Elohims.

Le Dragon de Saphir tient l'espace des groupes (co-création) qui se consacrent à des buts divins (tel que celui d'Arthur et des chevaliers de la table ronde – le dernier travail qui a été accompli par le Dragon de Saphir). En enveloppant chaque membre du groupe dans son manteau bleu, le Dragon de Saphir travaille avec les besoins spécifiques de chacun sur le lâcher-prise et la détente. Ceci permet à chaque personne dans le groupe d'apporter sa propre clé individuelle pour la création de tout le groupe.

Il est intéressant de noter qu'en tant que gardien de l'alchimie du groupe, le Dragon de Saphir est aussi le gardien de l'humanité en tant que groupe qui a pour intention d'expérimenter la séparation et qui a pour préoccupation de revenir à l'Unité avec Dieu. Le Dragon de Saphir peut accélérer l'ouverture du dernier portail à l'intérieur de la forme physique de l'être humain afin de pénétrer les passages de la grotte cosmique qui conduisent à la réunion avec Dieu et à l'Unité.

Le Dragon de Rubis maintient l'ouverture du passage entre le grand Soleil Central et la densité de cet univers, l'élargissant à la transmission de plus de lumière. Sur un niveau individuel, le Dragon de Rubis éclaire la vérité et laisse voir le coeur des humains, de l'humanité. Cette connaissance contient un énorme pouvoir et c'est l'une des raisons pour laquelle Son accès est gardé.

Lorsque l'on se concentre sur l'intérieur de soi-même au lieu de l'extérieur, le Dragon de Rubis nous plonge dans Ses niveaux les plus profonds, à l'intérieur de Son insondable coeur. On peut alors y expérimenter une sorte d'arrêt cardiaque explosif qui permet l'activation des codes de Diamant de l'ADN dans les chakras supérieurs – une extension de la grille de diamant dans toutes les directions depuis le centre du Coeur Supérieur.

On ne peut pas travailler individuellement avec les Dragons de Rubis et de Saphir. Par contre, le Dragon d'Emeraude peut apporter de magnifiques guérisons et des cadeaux à ceux qui désirent l'appeler, même si cela n'est qu'une petite partie de ce qu'Elle peut offrir sans la présence d'un Maître Dragon et l'approbation du Haut Concile.

LE DRAGON D'EMERAUDE: JEZ-IIRA-BEL

- » Mantra: Jez-iira-Bel Ou Na Rou
- » Récompense l'alchimie individuelle

Jez-iira-Bel travaille avec les niveaux individuels de résistance, de peur et active l'ADN dans son expansion. Les principes magiques les plus puissants sont tenus en Elle. Ils ne sont ni de la magie "noire" ou "sombre", mais comme avec toute chose, ils peuvent être utilisés dans ce but. Le Dragon d'Emeraude, émet, comme les autres Dragons le font, de l'Amour dans sa forme la plus pure et de la compassion pour ce que l'âme souhaite expérimenter et, en révélant Ses secrets, elle permet à l'individu de choisir comment utiliser Ses cadeaux. Dans le travail avec Elle, elle apporte ce dont chaque personne a besoin dans le but de réaliser son Dharma (but ou Vérité) individuel.

D'autres Dragons
DANS L'UNIVERS

Il existe de très nombreux Dragons dans l'Univers auxquels nous pouvons accéder ou qui ont des choses à nous enseigner ou à partager avec nous. Quelques-uns sont mentionnés ci-dessous, ils ont montré leur présence mais n'ont pas de travail particulier à nous offrir en ce qui concerne le voyage d'ouverture du corps physique dans lequel nous nous sommes embarqués. On trouve des Dragons dans quasiment chaque système stellaire et sur chaque étoile, vous pouvez donc en découvrir beaucoup d'autres qui ne sont pas mentionnés. Ceux qui ont été décrit l'ont été simplement comme référence et dans le but de partager les informations qu'ils ont souhaités mettre en avant. Ce sera votre chemin de découvrir et voir quels trésors ils détiennent pour vous particulièrement.

LE DRAGON DU SOLEIL: SORANOUM

- » Mon nom est mon mantra.
- » Je suis la pure lumière. J'active les chemins en direction du Soleil. Je travaille avec Melchizédek et le Dragon Blanc.

LES DRAGONS DE LA LUNE

- » Rahou – le noeud sud; l'aspect mâle de la lune
- » Ketou – le noeud nord; l'aspect féminin de la lune

Rahou et Ketou nous offrent de merveilleux cadeaux, l'un des plus simples étant le rappel quotidien par leur danse sacrée de l'union divine qui est présente devant nous. En se reflétant simplement avec la lune lorsqu'elle parade à travers le ciel de nuit, si nous nous accordons avec Rahou et Ketou et leur demandons, du plus profond de notre coeur, de venir en nous et de s'unir à notre être, nous sentons la danse commencer à l'intérieur de nos cellules, au milieu desquelles ils sont en permanence.

C'est une fête ludique et joyeuse de l'union créatrice divine et parfaite que nous avons tous à l'intérieur de nous, attendant d'être reconnue et guérie. Dans cette danse, ils sont dans un état constant de béatitude d'amour. C'est notre état naturel, qui a été oublié et auquel nous aspirons depuis si longtemps en le cherchant à l'extérieur de nous, dans des relations. Jusqu'à ce que cela soit guéri en nous, nous ne pouvons pas l'expérimenter totalement avec un autre être.

Voilà pourquoi, Rahou et Ketou dansent éternellement, simplement, espérant qu'un jour nous nous réveillerons et réaliserons que durant tout ce temps ils ont reflété pour nous notre vraie nature; qu'il y avait une raison profonde derrière notre fascination pour la froide et puissante présence de Mère Lune.

LE DRAGON DE SOLARIS : NINOURA

Solaris, parfois considérée comme la 10e planète ou la planète oubliée, toujours présente énergétiquement dans notre univers, est gardée par NinouRa, un majestueux Dragon serpentin avec une peau qui au premier abord semble d'un bleu cobalt puis violet-pourpre et brillante, luisante comme un diamant. Elle est la gardienne des informations contenues dans cette planète et qui seraient de première importance pour l'Humanité afin de ne pas répéter les erreurs commises par les habitants de Solaris.

LE DRAGON D'ANDROMÈDE : ENNGG MAAAAA

- » Symbole: la double hélice blanche et or sur fond bleu céruléen,

» le cordon ombilical de l'Univers, le portail en direction du prochain univers

Lorsque la présence d'Enngg Maaaaa est ressentie pour la première fois, son symbole apparaît très vite et distinctement. En méditant avec lui, nous pouvons être emmenés aux frontières de l'univers et voir le portail qui mène au prochain. Pour une âme qui se sent prête et qui souhaite aller au-delà de notre plan ou expérimenter d'autres réalités, ces informations peuvent être très utiles lors du retour sur le plan terrestre. Actuellement, peu d'âmes sont prêtes à effectuer ce travail, c'est pourquoi, en ce moment, le symbole d'Enngg Maaaaa n'est pas transmis visuellement. Pourtant, il va y avoir des âmes qui vont effectuer ce service pour l'humanité durant la prochaine phase de son évolution et certains d'entre vous se sentiront peut-être attiré à visualiser ce que vous pourrez avec le descriptif du symbole et voir ce que cela met en lumière pour vous.

LE PHÉNIX: BEN U ASR – LE COEUR DE RA, LE GRAND SOLEIL CENTRAL

Le Phénix est le point culminant de l'ensemble de toutes les énergies des dragons qui se sont présentés afin de travailler avec et pour l'Humanité. Tous, à l'origine, émanent de Lui et c'est donc dans leur union et leur achèvement, à la fin de ce cycle, qu'Il naît de ses cendres, une fois de plus et annoncera le nouveau cycle de la Terre. Sa naissance signalera un grand renouveau et l'appel dans la forme, de la prochaine octave des dragons avec lesquels l'humanité sera prête à travailler, car eux aussi prendront place dans une nouvelle, plus haute, forme de vibration.

Ces êtres magnifiques, commencent à peine à se manifester et ils scintillent à l'horizon, comme ils l'ont toujours fait jusqu'à présent, dans l'attente de l'instant divin à partir duquel l'humanité va faire un pas en avant. Ils arriveront et remplaceront les dragons de notre réalité actuelle qui ont été à notre service depuis des millénaires avec énormément d'amour, les libérant pour leur propre expansion dans une nouvelle octave. Ce sera une période excitante !

Pénétrer dans l'œil
DU DRAGON

En terminant le travail avec les Dragons Interdimensionnels, une nouvelle étape peut commencer. Elle va vous donner des outils extrêmement puissants pour la manifestation et la direction de votre Voyage sur cette terre. Ce travail ne peut pas être entrepris avec légèreté ou sans intention claire émanant de votre cœur et surtout pas au nom de quelqu'un d'autre.

C'est une opportunité pour votre âme de se souvenir des anciennes vérités à propos du travail avec les forces de vie et de votre pouvoir de co-création avec le divin. Ce voyage est sincèrement le résultat de ce que vous en faites et vous serez responsables et expérimenterez tout ce que vous avez choisi de créer. Cela a

CE VOYAGE EST SINCÈREMENT LE RÉSULTAT DE CE QUE VOUS EN FAITES

été vrai jusqu'à ce point de votre Voyage, tout comme il l'a été pour la collectivité en entier, mais la plupart de vos créations sont restées dans les champs supra sous-conscients.

Ceci a permis de nous déconnecter de la Vérité que nous avons créée dans ses moindres coin et recoins, avec les aspects positifs et négatifs de ce Voyage et donc d'assigner la responsabilité hors de nous, de blâmer les autres ou des forces externes pour la situation dans laquelle nous nous retrouvons dans nos vies. Pénétrer l'œil du Dragon amène nos actes au niveau de la conscience d'une manière très réelle, et vous serez absolument concernés par ce que vous avez créé.

La méditation avec chaque Dragon Elémental – Terre, Air, Feu et Eau – apporte différentes choses, à différents niveaux. Chacun d'entre eux offre un cadeau unique et une profondeur de travail variée pour votre Voyage. Les Elémentaux nous amènent à ce niveau de méditation car ils sont, pour ainsi dire, les pierres angulaires de la géométrie sacrée de la planète. Ils sont les chemins par lesquels doit passer l'Esprit pour se manifester dans la matière, et ainsi devenir notre lien pour réellement être les co-créateurs avec le Divin dans le plan physique.

A nouveau, complétez tout d'abord le travail avec chacun des Dragons individuellement jusqu'aux méditations avec les Dragons Interdimensionnels d'Or, d'Argent et de Cuivre car votre corps de lumière a besoin d'être plutôt bien ancré pour effectuer cette prochaine étape. Ces cadeaux ne peuvent pas être reçus avant d'avoir réalisé les phases avancées de préparation du corps de lumière dans le physique. Les Dragons ne vous accueilleront pas dans leur œil si vous n'êtes pas préparés.

A ce niveau, vous allez méditer avec les aspects fusionnés et vous ressentirez donc les présences mâle et femelle. Vous travaillerez encore plus directement avec leurs symboles ayez donc une image visuelle très claire, devant vous ou dans votre mental; c'est important. En méditant avec les symboles, vous allez réaliser que pour chacun d'entre eux, à l'intérieur de leur composition, l'œil du Dragon y a toujours été subtilement présent. Maintenant que vous le regardez avec une perspective neuve et le tenez devant vous, tel un portail, chaque symbole prend une nouvelle forme.

Passez tout d'abord du temps à respirer. Ensuite, commencez à entonner le mantra et la respiration associée au Dragon avec lequel vous voulez vous connecter. Maintenez l'image du symbole de ce dragon dans l'œil de votre esprit, tout en imaginant la couleur de la pierre en arrière-fond aussi vive que possible. Si votre cœur est pur et l'alignement de vos intentions intègre, le Dragon va venir vous inviter – plutôt vous projeter – dans le centre du symbole: le portail qui mène à l'œil intérieur du Dragon.

Vous vous sentirez probablement happés à l'intérieur de la boule de cristal de moldavite verte, de topaze jaune, de cornaline orange ou d'aigue-marine. En fait, vous l'êtes. Une fois que vous êtes entrés, observez votre respiration et assurez-vous que vous respirez toujours. La respiration dans cet endroit devient de plus en plus difficile et doit donc initialement être un peu forcée. L'espace interdimensionnel dans lequel vous venez de pénétrer n'est pas habituel pour le corps physique et il doit s'y adapter. Ceci est l'une des raisons pour laquelle il est crucial d'avoir ses corps de lumière bien ancrés au corps physique avant de poursuivre le travail avec les Dragons. Essayer de vous aligner au rythme de la respiration du Dragon.

Une fois à l'intérieur de cet espace, suivez votre voix intérieure jusqu'à une place confortable et visualisez-vous assis ou debout, selon ce qui vous convient, et dès que vous sentez que le Dragon se focalise sur vous, ouvrez votre cœur et révélez-lui ce que vous avez amené avec vous. Vous aurez besoin d'être totalement ouvert et prêt à recevoir. C'est un lieu où l'on est vulnérable, mais vous devriez vous y sentir à l'aise après avoir achevé et reçu l'ouverture de vos canaux intérieurs par les Dragons ainsi que l'ancrage de votre corps de lumière.

Travailler de cette manière avec les Dragons de Mu a toujours fait partie de leur Dharma, ils ont toujours attendu de pouvoir dévoiler leurs capacités et de s'élancer à notre rencontre, mais non sans précaution. Vous n'entrerez pas si vous vous n'êtes pas prêts ou si votre cœur est faux. Cela a été le tournant pour beaucoup de civilisations, le terrain d'essai si vous préférez. Chaque fois qu'une civilisation atteint cette étape, elle a révélé ses véritables désirs et intentions de mauvais usage du cœur ou de manque de cœur, et les Dragons de Mu ont fermé les canaux de connexion et ont aidé à la destruction de cette civilisation. C'est à nous de savoir quelle direction nous voulons prendre cette fois.

L'ŒIL DU DRAGON DE LA TERRE

Entrer dans l'œil du Dragon de la Terre nous amène dans un espace de manifestation magnifique. On y entre pour créer. Que voulez-vous manifester dans votre vie ? Quels rêves avez-vous qui ne soient pas encore réalisés ? Qu'est-ce qui se trouve aux tréfonds et au plus cher de votre cœur que vous voulez amener à la réalité physique ? C'est l'endroit où les apporter.

Commencez par respirer, trouvez votre centre et laissez-vous attirer dans l'instant. Gardez l'image visuelle du symbole du Dragon de la Terre dans l'œil de votre esprit. Au moment où vous atteignez votre centre, ajoutez le mantra du Dragon de la Terre: "Mii Tou Ame Na Hé Roua" en rejetant la respiration au travers du sol et du plafond de la grotte, comme précédemment avec les Dragons de la Terre. Ressentez l'énergie descendre devant et derrière votre torse, poussant au travers des canaux de cette manière qui vous est maintenant familière. Envoyez votre intention d'entrer dans l'œil du Dragon de la Terre afin d'accéder à un niveau plus profond de travail avec Lui/Elle.

Continuez à chanter jusqu'à ce que vous sentiez approcher le Dragon de la Terre et qu'il incline sa tête vers le sol de la caverne afin de vous faire entrer dans le portail du symbole qui mène dans son œil. Vous allez avoir l'impression nette d'être entouré d'un champ brillant de couleur verte et ce au fur et à mesure que vous pénétrez et avancez dans l'œil. La moldavite brille d'une couleur verte brune dont la source de lumière indistincte provient de l'intérieur du Dragon. (Si vous ne connaissez pas la moldavite, allez rendre visite à un magasin de minéraux ou surfez sur Internet afin d'avoir une image claire de son aspect dans votre esprit.)

Asseyez-vous ou tenez-vous, à l'endroit que vous estimez être le milieu de l'œil. Continuez à respirer, il sera plus difficile de le faire dans cet espace. Synchronisez, si vous le pouvez, votre respiration avec celle du Dragon. Quand vous vous estimez prêts, vous sentirez que le Dragon dirige son attention sur vous et qu'il vous interroge sur ce que vous souhaitez manifester dans la réalité du plan physique. Soyez prêts à le lui révéler en détails. Il est sage de ne pas venir là les mains vides, juste par curiosité. Le Dragon ne prend pas sa tâche à la légère et n'aime pas être dérangé pour rien.

La Création ne peut venir que de l'espace maintenu par la connexion entre le cœur et le hara. Sentez votre rêve, ou vos rêves grandir dans votre cœur et laissez-les s'élever, comme des bulles, dans la présence du Dragon de la Terre. Une fois qu'ils sont devant vous, Il/Elle vous guidera afin de les assembler, de les embrasser et de les déposer à la base de votre hara. Maintenez-les là et ressentez leur profondeur. Il est conseillé de ne pas en apporter trop à chaque séance. Concentrer son attention sur une réalisation à la fois est souvent le plus productif.

Vous expérimenterez peut-être une montée de chaleur depuis le bas de votre dos ou comme l'éclosion d'une fleur de Lotus dont la tige s'allonge, ceci est un moyen de conserver ce rêve dans votre vortex central. C'est à cet endroit qu'a lieu la gestation de votre rêve avant sa naissance dans le plan physique. Gardez-le et respirez avec lui. Sentez le souffle du Dragon et le vôtre. Inspirez, expirez en un seul souffle, souffle qui envahit tout l'espace avec une brume chaude qui semble couver. Ensuite, respirez simplement en harmonie avec le Dragon. Ressentez les pulsations de vie à l'intérieur du rêve qui est maintenu ici.

Tenez-le comme si vous preniez dans vos bras un enfant ou de la manière dont une femme enceinte tient son ventre, avec amour, tendrement, dans l'attente mais avec un fort sentiment de connexion avec l'enfant et le cœur en même temps.

A un certain point, vous saurez qu'il est temps de quitter votre création et de la laisser en sécurité dans les pattes du Dragon de la Terre. Elle va continuer sa gestation, là, jusqu'au moment où tous ses aspects seront prêts à mûrir et à être reportés dans le plan physique. Cet espace est toujours en vous et vous le portez à chaque instant. Peut-être en ressentez-vous même les symptômes physiques à l'intérieur de votre ventre, comme si quelque chose grandissait en vous.

Le/la Dragon de la Terre abaissera sa tête de telle façon que vous pourrez sortir et vous retrouver à nouveau dans la caverne où Il/Elle habite. Avec déférence, inclinez-vous avec gratitude envers cet être grandiose qui vous a assisté dans l'accomplissement de cette puissante manifestation. Demeurez présents aussi longtemps que vous le jugerez nécessaire afin d'intégrer et de vous souvenir du processus…, puis sortez et revenez dans le plan physique.

Ressentez la création qui est revenue avec vous. Vous aurez éventuellement le sentiment d'être lourd. C'est un bon signe que ce que vous souhaitez créer est maintenant vraiment ancré dans le plan physique. Soyez assurés que cette création naîtra exactement au moment adéquat.

Vous aurez probablement envie de finaliser le processus en pénétrant dans l'œil du Dragon du Feu. Ceci relâchera les blocages et les illusions les plus profonds entravant ou qui gêneront, la manifestation de votre désir. Vous n'êtes vraisemblablement pas conscients qu'ils existent car ils sont cachés très profondément en vous. L'entrée dans l'œil du Dragon du Feu va propulser la réalisation dans une prochaine étape.

L'ŒIL DU DRAGON DE L'AIR

La pénétration de l'œil du Dragon de l'Air nous amène dans une sphère de totale clarté. Au premier abord, au moment d'entrer, il y a une grande confusion mentale qui surgit. Vous ne pouvez pas dire où vous êtes ou si vous êtes au bon endroit car seule une orbe de lumière jaune vous entoure. Ceci est un alignement divin parfait car afin de recevoir les cadeaux qui se trouvent à l'intérieur de l'œil du Dragon de l'Air, vous serez appelé à entrer dans l'espace le plus clair que vous puissiez avoir dans votre propre espace intérieur. C'est à cet endroit que nous pouvons vider notre esprit et ressentir une presque totale soumission à l'égard de cet espace où nous ne savons plus rien. Lorsque nous arrivons, l'attention du Dragon de l'Air se tourne vers nous et il répond à toutes les questions de notre cœur.

C'est un espace qui autorise les vraies compréhensions, sans émotion, de toutes les situations de vie passée, présente et future dans lesquelles nous nous sommes incarnés. Les subtiles structures et dynamiques familiales, les relations positives et négatives, les relations d'affaires… la liste est infinie car nous sommes infinis, comme l'est la connaissance de notre Dharma que nous recherchons dans cette vie. Jusqu'à ce que nous comprenions ce que nous faisons ici, nous ne pouvons pas nous investir complètement, de façon puissante dans notre tâche. La compréhension de notre passé et de notre présent nous apporte une clarté au pourquoi et comment de ce que nous manifestons à chaque instant, aussi bien que la direction à suivre afin de vraiment achever les buts de notre vie ou de notre Dharma.

Ce peut être un endroit redoutable et effrayant si vous n'êtes pas prêts à sincèrement comprendre en totale clarté la dynamique des situations de vie que vous avez créées. C'est pour cela que le travail à l'intérieur de l'œil du Dragon ne doit pas être pris à la légère et qu'il peut échouer si le Dragon ne vous juge pas assez prêts pour recevoir le cadeau du niveau qu'il allait vous offrir.

Afin d'entamer la profonde méditation avec le Dragon de l'Air, installez-vous confortablement et focalisez votre attention sur la respiration. Amenez votre esprit dans le calme et la clarté et lorsque vous sentirez une immobilité descendre sur vous, entonnez le mantra avec la technique respiratoire utilisée précédemment: "Mii Rou Ah Tou Né Ah Oh". Parce que vous travaillez alors avec la femelle et le mâle fusionnés, vous vous apercevrez que l'expire se fait dans un vortex en sens inverse de celui des aiguilles d'une montre, et ce en direction du ciel comme du sol. Alternez les deux façons jusqu'au moment où vous reconnaîtrez les sensations d'ouverture des lignes d'énergie à travers votre colonne vertébrale et donc la liaison avec le Dragon de l'Air. Gardez tout le temps dans votre œil intérieur l'image du symbole du Dragon de l'Air.

Continuez à réciter le mantra et à visualiser cette magnifique créature qui se tient devant vous. Demandez-lui la permission d'entrer dans son œil et d'effectuer un travail encore plus profond. Poursuivez le chant du mantra, oralement ou intérieurement, tombez de plus en plus dans un espace profond, et ce jusqu'au moment où le Dragon va baisser sa tête afin que vous puissiez pénétrer le symbole et entrer dans son œil.

Si le Dragon ne vous reçoit pas, acceptez simplement ce fait sans jugement ou autocritique, sachez que vous êtes en fait le seul à ne pas vous juger prêt à connaître les réponses aux questions que vous vous posez. Dès que vous serez vraiment prêts, vous serez autorisés à entrer et vous saurez quand réitérer cette méditation.

Si vous avez pénétré dans l'œil, déplacez-vous aussi profondément que vous le pouvez dans le centre. Vous serez enfermés dans la lumière jaune étincelante du centre du topaze, entourés d'ambre duquel partent des fils brun jaune qui rejoignent l'atmosphère. Vous vous sentirez peut-être confus et incertain du fait de savoir si vous avez atteint la bonne place ou non. Suis-je vraiment dans l'œil du Dragon de l'Air ? Ou suis-je simplement dans l'espace ? La chaude lueur et les tons dorés de la lumière autour de vous seront votre guide.

C'est de cette façon que le Dragon vous force à trouver la véritable paix intérieure, car c'est seulement dans cet espace que vous pouvez recevoir en toute clarté le flux de conscience qu'il fait passer pour vous par le biais du corps physique. Plus l'état de confusion perdure, plus vous sentirez une sérénité venue du plus profond de votre cœur vous envahir. Vous vous sentirez chez vous. Rien que d'atteindre cet état est un merveilleux cadeau à emporter avec vous.

A ce point, vous allez ressentir le regard intérieur du Dragon se tourner vers vous et vous offrir d'ouvrir votre cœur afin d'y sortir votre bouquet de questions. Avec chacune d'entre elles laissez le flux de conscience passer à travers vous et quelle que soit la forme qu'il prend, recevez l'information. Tout le monde ne reçoit pas une réponse en mode verbal. Pour la plupart ils reçoivent des sons, des couleurs, des sensations ou des bribes de connaissance. Certains téléchargements arrivent intégrés dans des codes par une transmission à travers le 3e œil directement vers l'esprit. Lorsque cela arrive il se peut que les paupières subissent des mouvements incontrôlables de papillonnement. Soyez simplement conscients que les informations vous parviennent. Vous découvrirez leur contenu plus précis sous forme de rêves, de synchronicité ou par brusques intuitions lorsque le moment sera opportun.

Lorsque vous jugerez que vous avez reçu tout ce que vous souhaitiez, que vous avez posé votre lot de questions – n'amenez pas trop d'interrogations ni de demandes triviales sur des décisions à prendre etc. – mais des informations d'un niveau plus profond concernant les buts de votre âme et de votre raison d'être ce qui englobe toutes vos relations. Si vous comprenez ces aspects, le reste se mettra en place dans votre vie, sans effort.

Avant de vous préparer à retrouver le monde physique en toute conscience, remerciez gracieusement le Dragon de l'Air d'avoir travaillé avec vous et attendez le signal de sortie. Il sera clair, vous pourrez vous retirer lentement de l'œil et retourner dans la grotte, puis dans le décor qui vous entoure.

Gardez un journal des questions et des réponses que vous avez reçues, comme cela, au fur et à mesure que d'autres questions viendront, vous pourrez les relier et avoir une vision d'ensemble au lieu d'ennuyer le Dragon avec des interrogations dont vous avez déjà obtenu les réponses.

L'ŒIL DU DRAGON DU FEU

L'entrée dans l'œil du Dragon du Feu exige un état d'esprit de profonde humilité. Là, vous êtes capables de voir la vérité des blocages et des illusions qui vous ont empêchés de réaliser vos rêves. Il est utile d'avoir auparavant travaillé dans l'œil du Dragon de la Terre comme cela, les évocations que vous y avez placées en gestation pourront être abordées. L'embrasement du feu sous ces rêves aura un effet d'incubateur et la gestation sera facilitée lors du travail dans l'œil du Dragon du Feu.

Maintenez le symbole du Dragon du Feu devant vous et commencez à respirer, vous attirant dans un espace en vous, clair et centré. Visualisez-vous assis dans la grotte du Dragon du Feu et entonnez le mantra: Bah Tou Haa Biche Ta Ou Hé. En expirant, envoyez le souffle féroce dans toutes les directions. Dès que le Dragon du Feu pénètre dans la grotte avec vous, vous devriez ressentir les canaux abdominaux et pelviques, qui ont été ouverts lors des précédentes séances avec le Dragon du Feu, se gorger d'énergie. Enoncez votre intention de vouloir pénétrer à l'intérieur de l'œil du Dragon et de travailler avec lui.

Le Dragon du Feu regardera droit en vous, vous calibrant d'un trait. Il se peut qu'il vous refuse l'entrée tant que vous ne serez pas en totale humilité en sa présence. Ceci parce qu'une fois à l'intérieur vous serez confronté, face au miroir noir, à votre propre présence ce qui implique une humilité sans retenue.

Si vous êtes jugé apte à entrer, le Dragon va alors baisser sa tête vers vous, et vous admirerez le splendide œil couleur de cornaline devant vous. Seule une fine fente noire barre l'iris. Attendez qu'elle s'élargisse comme une porte et entrez. Vous voilà dans un corridor noir, sans lumière. Continuez à avancer jusqu'à ce que vous sentiez une lueur orange-rouge autour de vous. Vous vous tiendrez au centre d'un large disque: le miroir noir.

Vous allez sentir que l'attention du Dragon se porte à l'intérieur, sur vous et qu'il commence à parler de vos rêves, ou plus concrètement des obstacles qui vous empêchent de les réaliser. Vous allez être sollicités afin d'examiner, un par un, chaque mur qui se trouve entre vous et la réalisation du désir de votre cœur. Travaillez un rêve après l'autre. Au fur et à mesure que vous les dévoilez, vous réalisez que les blocages auxquels vous pensiez n'ont au fond aucune incidence; ils sont des illusions qui vous empêchent de regarder plus profondément. Chaque réalisation va se dévoiler car vous la tiendrez devant le miroir noir et vous verrez sa vérité. Le Dragon aidera à trier les informations, et il vous guidera afin d'en mettre de côté, d'en garder pour les analyser plus tard ou examiner de plus près certaines d'entre elles.

Continuez à plonger et sonder jusqu'au moment où vous apparaît la cause initiale. Elle sera le plus probablement liée à d'anciennes peurs gardées au fond de vous à propos de vous-même ou de votre comportement en présence de l'arrivée du rêve dans votre vie. Cela peut être une révélation choquante et inattendue. Autorisez-vous à la regarder en tout honnêteté, sans jugement, avec le sentiment de gratitude que vous pouvez finalement, en toute conscience, vous en libérer. Laissez-la sur le miroir.

Lorsque l'illusion centrale est dévoilée, le Dragon vous montrera la chambre intérieure, dans l'œil. Vous verrez ou sentirez un mur de feu avec au centre, devant vous, une porte de sortie noire. C'est la "chambre fraîche" où vous serez tenu en sécurité pendant que vos illusions, abandonnées sur le miroir, seront incinérées.

Lorsque le processus est terminé, les parois noires vous entourant tomberont, et une fois de plus vous allez vous retrouver dans la lueur rouge cornalin du miroir noir. Y'a-t-il encore quelques rêves ou illusions à examiner aujourd'hui ? Si oui, reprenez le prochain rêve, montrez-le au Dragon et commencez à examiner ce qui vous empêche de le réaliser.

Si les informations que vous avez reçues vous suffisent, le Dragon va alors commencer à souffler avec vous afin d'attiser les flammes autour du rêve que vous avez en gestation dans votre hara. C'est pourquoi il est prudent d'avoir tout d'abord travaillé dans l'œil du Dragon de la Terre car vous avez alors un rêve qui est déjà en élaboration dans le plan physique, dans le hara, et non pas seulement un espoir ou une envie maintenue au niveau du cœur. Ce processus va accélérer le cheminement, et c'est comme cela que le Dragon du Feu devient le puissant combustible des manifestations.

> **VOUS VENEZ D'ENTREPRENDRE UN PROFOND TRAVAIL DE PURIFICATION**

Dès que vous vous sentirez prêts à regagner la grotte, prosternez-vous en signe de gratitude vers le Dragon du Feu. Sa tête va s'abaisser vers le sol, et à nouveau, vous sortirez lentement pour reprendre le chemin du monde vous entourant. Vous vous sentirez probablement chaud, et un profond sentiment de vide envahira votre corps. C'est parce que vous venez d'entreprendre un profond travail de purification.

Cette purification, cette incinération d'illusions commencent et se terminent par un état de profonde humilité. C'est dans cet état d'esprit que nous pouvons vraiment nous exprimer avec nous-mêmes et avec les autres. C'est pour cela que ce travail nous rappelle comment nous nous ressentons dans cet espace, et il approfondit nos communications quotidiennes car nous apprenons à parler à nouveau depuis cet endroit.

Outre le merveilleux cadeau d'éclaircissement du chemin afin que nos rêves se concrétisent, le plus nous travaillons dans l'œil du Dragon du Feu, le plus nous retournons à nos anciennes bases de communication pour les uns et les autres.

L'ŒIL DU DRAGON DE L'EAU

L'entrée dans l'œil du Dragon de l'Eau exige de vous d'être dans un état de totale pureté, dans la présence et l'ouverture du cœur. Dans cette ouverture, vous serez à même de recevoir et d'expérimenter la magnificence de l'amour inconditionnel illimité. Lorsque vous recevez ce cadeau, vous ressentez le besoin de le partager et de le mettre au service de l'humanité, de Gaïa. En devenant un vaisseau dans l'espace, vous devenez un transmetteur des fréquences dont la planète a tant besoin en ce moment. Tel un phare, ce faisceau vous suit et touche tout ce qui s'approche de vous.

Trouvez une position assise confortable et respirez. Dès que vous êtes centrés, rajoutez le mantra du Dragon de l'Eau: Mii Ré Anne Nou Ah Tou Aii, et visualisez le symbole d'argent et d'aigue-marine. En émettant le mantra, projetez votre intention de vouloir pénétrer l'œil du Dragon de l'Eau et d'y travailler aujourd'hui.

Puis, déplacez lentement votre attention dans le cœur, l'ouvrant et l'adoucissant. Tant que le Dragon n'aura pas baissé sa tête vers vous, cela signifie que vous devez ouvrir encore plus votre cœur. Il existe des niches dans votre cœur que certains n'ont jamais atteint, et c'est à cette profondeur que vous devez allez. Le simple fait de gagner ces endroits et d'y expérimenter leurs profondeurs, dans votre propre cœur, peut être suffisant pour une seule session. C'est une expérience à maîtriser, surtout avant celle qui va arriver, à l'intérieur de l'œil.

Quand la tête du Dragon s'abaissera, vous verrez le splendide iris bleu aigue-marine entourer une pupille d'argent. Entrez dans cet endroit et dirigez-vous dans le hall. Vous êtes enveloppé d'argent et c'est comme si quelque chose bougeait dans l'ombre, juste à la limite de votre vision périphérique. En y regardant de plus près, vous découvrez que tous vos côtés sont des miroirs reflétant les aspects de vous tout au long de votre vie.

Certains sont faciles à observer, surtout dans l'état si profond du cœur dans lequel vous vous trouvez, alors que pour d'autres, vous allez vous questionner. Vous allez devoir passer devant chaque aspect, l'embrasser et l'aimer du fond du cœur. Ce peut être difficile. Vous vous reverrez à tous les âges, dans toutes sortes de situations : en adolescent grossier envers un chauffeur du bus ou un commerçant, en époux hurlant contre ses enfants, en enfant jetant des saletés sur un autre… la liste est interminable et seulement dans votre expérience. Vous avez oublié beaucoup de ces souvenirs.

Observez consciencieusement chacun d'entre eux, chérissez-les reconnaissant la divinité et la perfection avec lesquelles vous avez été créé en tant que divine réflexion de Dieu dans la matière. Après les avoir tous embrassés, comme pour agrandir ce point, le miroir final sera une image de vous totalement nu. Pouvez-vous aussi embrasser cette vision et réaliser qu'elle aussi est une réflexion divine de Dieu dans le physique ? Vous allez dans le centre de l'œil et sortez du hall seulement lorsque vous pouvez embrasser sincèrement toutes ces images.

Si vous réussissez, vous commencez à voir un champ bleu aigue-marine, translucide, vous entourer, comme le bleu turquoise, vif d'une baie des Caraïbes. Debout ou assis dans le centre, ressentez le battement de votre cœur se synchroniser avec celui du Dragon. La respiration et le pouls synchronicisés, comme un seul rythme. Ensuite, vous allez nager dans la rivière de Grâce de l'amour inconditionnel. Cet instant est comme un retour à la maison, l'un des états de bonheur, de béatitude les plus forts que nous puissions atteindre. Vous risquez également d'entendre ou de sentir les voix d'un chœur angélique venues des hauteurs de la sphère bleue dans laquelle vous vous trouvez.

Pendant que vous recevez et vous remplissez, vous commencez à réaliser que vous êtes pénétrés et remplis mais aussi que cette énergie sort de vous, par chaque pore de votre peau et dans toutes les directions. Visualisez toutes les personnes, situations, chefs, endroits, etc. dans le monde vers lesquels vous souhaitez que ce flux coule. En pensant à eux, ils apparaîtront sur les murs autour de vous comme pour valider qu'ils ressentent bien cette énergie.

Demeurez présents à cet endroit aussi longtemps que vous vous sentez bien. Le plus souvent vous viendrez, plus la séquence vibratoire sera ancrée dans les cellules de votre corps de façon à ce que vous deveniez un émetteur de cette fréquence, même dans votre vie courante. En fait, vous n'êtes jamais déconnecté de ce flux, mais avoir un endroit où la conscience peut aller pour se reconstituer, se reconnecter à cette source, cela est une grande aide pour se souvenir de cette magnifique partie de nous-même.

Voilà le cadeau que le Dragon de l'Eau a détenu pour la planète et l'humanité, attendant le moment propice pour l'ouvrir. L'eau est le conducteur le plus fréquent et il constitue la plus large partie de notre corps humain et de celle de la planète… coïncidence que cela. C'est aussi le conducteur par lequel se transmet instantanément, par le plan physique, les fréquences de l'amour inconditionnel.

Elancez-vous dans cet espace et retournez-y souvent. Chaque fois, vous serez testés de la même façon, pas en tant que test, mais plutôt comme préparation afin de complètement éclaircir le corps pour recevoir au plus profond niveau. C'est à cela que servent tous les "tests" auxquels le Dragon nous soumet. Ils ne souhaitent pas nous priver de leur cadeau. Ils ont attendu durant des millénaires pour les partager avec nous mais ils savent aussi les dommages qu'ils peuvent causer sans une minutieuse préparation ou initiation.

Quand vous sentirez le moment venu d'arrêter la session, portez votre attention vers le Dragon de l'Eau et envoyez-lui une vague de gratitude, reconnaissant tout ce que vous avez reçu de lui, et demandez-lui l'autorisation de revenir dans le futur. Vous sentirez le passage qui s'entrouvre dans un halo de lumière argentée et qui vous amène à la sortie. En sortant, vous pouvez lentement commencer à amener votre conscience sur le monde extérieur, votre corps et la pièce dans laquelle vous vous trouvez.

Vous vous sentirez d'abord lourd en revenant de l'espace dans lequel vous vous trouviez, mais en retrouvant toute votre conscience corporelle, vous aurez l'impression de légèreté, presque pris de vertige, comme si un élixir pétillait dans vos veines. La magie de l'enfance reviendra, et avec elle, vous ressentirez l'esprit joueur de votre jeunesse, ceci pendant toute la journée qui suivra ou plus longtemps… Vous vous sentirez peut-être regardé bizarrement par les autres comme s'ils essayaient de comprendre ce qui vous rend si différent aujourd'hui. Souriez-leur sachant que le Phare brille et qu'ils ne peuvent pas l'imaginer. Vous rendez un énorme service au monde !

TABLEAU SOMMAIRE DES DRAGONS

Royaume	Dragon	Association	Fonction	Pierre	Mantra
Terre	Terre	Ishtar	enracine les manifestations dans le plan physique	moldavite	Mii Tou Ame Na Hé Roua
	Air	Kwan Yin	transfère de l'information/de l'énergie dans la conscience	ambre & topaz jaune	Mii Rou Ah Tou Né Ah Oh
	Feu	Isis	brûle nos blocages, fournit la manifestation	cornaline	Bah Tou Haa Biiche Ta Oh Hé
	Eau	Lady Nada	conduit le flux d'information/d'énergie	aigue-marine	Mii Ré Anne Nou Ah Tou Aii
Intergalactique	Noir	Archange Michael	purifie l'ombre, le pouvoir primordial	carborundum	Bii Chto Maii Tou
	Blanc	Archange Mélchizedek	création, activation, enracinement	opale	Mii Ré Anne Nou Aii
	Cristal	Archange Metatron	activation des matrices/géometries cristallines	diamant	Mii How Té Naii Mii Ra Tou Ha
Interdimensionnel					
Orion	Cuivre	EL-l'étoile gauche de la ceinture d'Orion	sagesse, Halls de la Connaissance	cuivre brut	Houou Raa
	Argent	AN-l'étoile centrale de la ceinture d'Orion	paix, ouverture du coeur à l'amour inconditionel	argent liquide brut	Houou Iii
	Or	RA-l'étpoile droite de la ceintrue d'Orion	protection et pouvoir, amplification	l'or brut	Mii Raa
Sirius	Sirius A	le côté féminin	l'équilibre féminin	titanium liquide	Mai-er-khan Ong Ro
	Sirius B	le côté masculin	l'équilibre masculin	mercure liquide	Amer-khan Haa Tou
	Sirius C	l'Union Sacrée	l'activation complète des lemniscates	platine liquide	Ash-er-khan Ir Ma
Coeur de la Terre	Tiamat	l'ombre	la gardienne de l'ombre		
	TiaNNou	la lumière	la mère dans l'antre, transmet tendresse et grâce		TiaNNou Rou An Nai
	BaRaha	l'équilibre	apporte la force et le courage		BaRaha Hou Anou
Milieu de la Terre	Rubis	Merlin	éclaire la vérité		
	Saphir	Arthur	l'alchimie du groupe		
	Emeraude	Morgane	récompense l'alchimie individuelle		Jez-iira-Bel Ou Na Rou
Soleil	SoRaNoum				SoRaNoum
Lune	Rahou	le noeud sud	exemplifie la béatitude d'amour de l'union intérieure		
	Ketou	le noeud nord	exemplifie la béatitude d'amour de l'union intérieure		
Solaris, 10e Planète	NinouRa		gardienne des informations pour l'Humanité		
Andromède	Enngg Maaaa		le cordon ombilical de l'Univers, le portail vers le prochain univers		

ARAYA ANRA

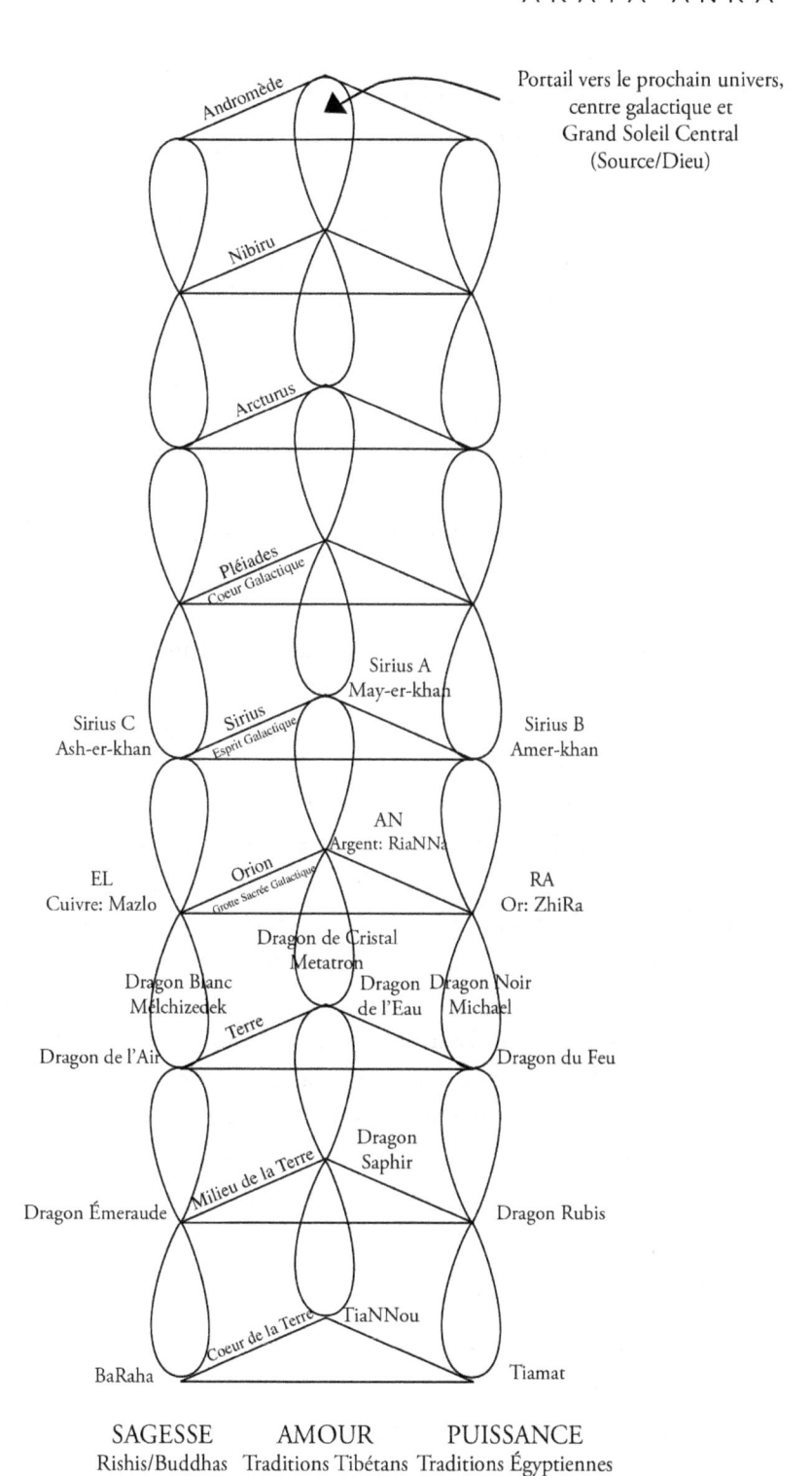

Portail vers le prochain univers,
centre galactique et
Grand Soleil Central
(Source/Dieu)

Andromède

Nibiru

Arcturus

Pléiades
Coeur Galactique

Sirius A
May-er-khan

Sirius C   Sirius   Sirius B
Ash-er-khan   Esprit Galactique   Amer-khan

                    AN
                Argent: RiaNNa

EL   Orion   RA
Cuivre: Mazlo Grotte Sacrée Galactique   Or: ZhiRa

            Dragon de Cristal
                Metatron

        Dragon Blanc   Dragon   Dragon Noir
        Melchizedek   de l'Eau   Michael
                        Terre
Dragon de l'Air   Dragon du Feu

                    Dragon
                    Saphir

Dragon Émeraude   Milieu de la Terre   Dragon Rubis

                Coeur de la Terre TiaNNou

BaRaha   Tiamat

SAGESSE   AMOUR   PUISSANCE
Rishis/Buddhas Traditions Tibétans Traditions Égyptiennes

HIÉRARCHIE DES DRAGONS/ FLUX D'ÉNERGIE DANS NOTRE GALAXIE

Ce diagramme indique les lignées de dragons ainsi que le flux des énergies nous arrivant en provenance du Grand Soleil Central. Chaque système stellaire est une étape vers le bas (ou vers le haut pour le flux inverse) pour que les énergies soient traduites dans une forme utilisable par le niveau hiérarchique suivant de la lignée. Notre évolution et descension vers le plan 3D de la terre s'est produite successivement à travers chacun de ces systèmes, et à mesure que notre ascension progresse, les vibrations supérieures et informations de chacun de ces systèmes nous redeviennent, à nouveau, disponibles.

Comme il est expliqué dans la section sur l'énergie de la géométrie des Dragons, à des taux vibratoires élevés, les vagues de lumière/énergie sont très courtes et rapides, tandis que celles des niveaux énergétiques plus bas sont plus longues et lentes. Donc, à chaque étape inférieure, la vague devient plus longue et plus lente.

Actuellement, les Dragons se sont révélés pour travailler jusqu'au niveau du système de Sirius. Peu se sont faits voir dans les systèmes supérieurs, mais la majorité de l'humanité n'est pas prête pour travailler avec eux et les énergies supérieures qu'ils portent, et donc leur travail n'a pas été révélé. Ceci viendra et sera révélé probablement dans un second livre ou au cours d'ateliers.

Chacune des lignées est associée avec une de fondations de base d'Amour, Sagesse et Puissance; l'équilibre qui permet l'évolution. Ainsi, en se déplaçant vers le haut dans la lignée d'Amour, nous trouvons des octaves de plus en plus hautes de cette énergie, exemplifiée par TiaNNou, le Dragon de Saphir, le Dragon de l'Eau, le Dragon de Cristal, le Dragon d'Argent and le Dragon de Sirius A, May-er-khan. Les dragons à l'intérieur de ces trinités ou lignées travaillent ensemble, comme vous pouvez vous en rendre compte en travaillant avec eux.

Les Dragons Noir, Blanc et de Cristal, ainsi qu'il est expliqué dans la section sur l'énergie de la géométrie des Dragons, sont un peu spéciaux car ils triangulent avec les Archanges au niveau entre Orion et la Terre.

Questions Générales

DIFFÉRENCES ENTRE MÂLE OU FEMELLE – LES UTILISER TOUS LES DEUX

En travaillant avec les Dragons Elémentaux vous découvrez qu'il existe des aspects spécifiques aux Dragons mâles et d'autres aux Dragons femelles. Ils sont décrits dans le chapitre concernant les Dragons Elémentaux. Pour beaucoup d'aspects, il faut que cela soit un processus individuel et organique car chaque dragon partage son expérience avec nous de façon unique, sur un niveau subtil différent.

La différence entre l'expérience pour des hommes ou des femmes réside essentiellement dans l'activation du Dragon du Hara. Mais malgré tout, lors de Cercles d'Activation du Hara, les hommes décrivent des expériences tout à fait similaires à celles des femmes du groupe. Ils ressentent des sensations dans le hara et le même genre de réveil du pouvoir créatif. Ils ont aussi un nom pour leur Hara, comme les femmes.

Les hommes expérimentent les mêmes choses mais, typiquement, ce sont les femmes qui sont d'abord appelées à réveiller et activer ces énergies avant de réveiller à leur tour les hommes. Pour ma part, j'applaudis les hommes qui ouvrent le chemin dans notre monde.

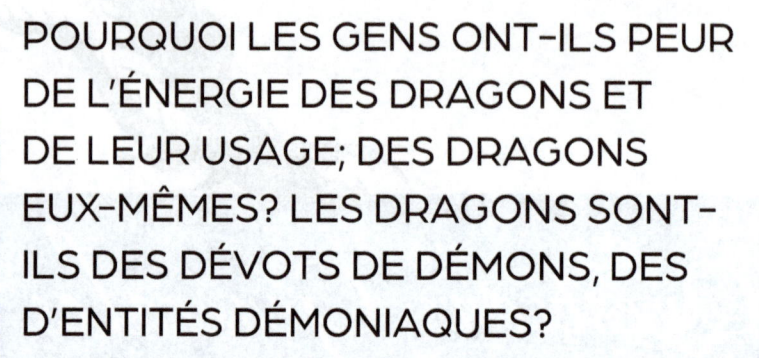

POURQUOI LES GENS ONT-ILS PEUR DE L'ÉNERGIE DES DRAGONS ET DE LEUR USAGE; DES DRAGONS EUX-MÊMES? LES DRAGONS SONT-ILS DES DÉVOTS DE DÉMONS, DES D'ENTITÉS DÉMONIAQUES?

Il y a eu beaucoup de peur générée durant des siècles et des siècles autour des dragons et il serait naturel pour beaucoup de craindre l'utilisation de ces énergies. C'est enfermé dans nos mémoires cellulaires depuis le temps des Croisades lorsque les dragons ont été chassés de la planète. Tous les êtres, y compris les humains dans cette dimension, portent en eux, dans leur nature, la dualité de la densité (ou démon comme certains la nomme) et de la lumière. C'est une caractéristique inhérente à chaque être. La majorité des animaux va seulement réagir par l'agression lorsqu'on les met en situation défensive.

Les dragons ont une réputation de bêtes redoutables parce qu'ils ont été pourchassés et ont dû se défendre. Leur vraie nature est aimante et protectrice. Même Tiamat, qui est la mère du chaos et de la forme – donc l'énergie la plus dense qui existe – est, dans son cœur, remplie de la plus pure lumière. C'est lorsque nous dérangeons son rôle de mère protectrice que nous ressentons sa colère.

Lorsque vous vous connectez à un Dragon pour la toute première fois depuis l'espace de votre cœur, vous comprenez le profond amour qu'ils portent tout simplement parce qu'ils ont la même origine que nous.

POURQUOI ONT-ILS DISPARU DE LA PLANÈTE?

Les peurs se sont accrues en ce qui concerne les dragons durant les Croisades car elles servaient au Régime qui voulait éliminer tout culte lié à la nature, que cela soit les arbres, les Dieux, la Terre ou les

Animaux, y compris les Dragons. Il y eu des Croisades organisées dans le but de les chasser et de les massacrer eux et les personnes qui les vénéraient. Les Dragons ont disparu parce qu'ils n'étaient plus compris et que l'on ne voulait plus d'eux. Ils existent toujours quelque part et beaucoup dorment, par exemple, dans les collines entourant les campagnes européennes. Beaucoup de travailleurs énergétiques, spécialement dans la dernière décade, qui ont une connexion avec les dragons se sont retrouvés à croiser des dragons prêts à se réveiller dans les collines.

TRAVAIL INDIVIDUEL OU TRAVAIL EN GROUPE; LOCALISATION DES LIEUX SACRÉS

Tous les exercices énergétiques avec les dragons décrits dans ce livre peuvent se faire individuellement ou en groupe. Comme avec la plupart des travaux en énergie, la dynamique du groupe ajoute une énergie exponentielle à l'expérience. Travailler avec un intervenant qualifié est encore plus puissant, comme l'est le fait de méditer sur les lieux sacrés ou de très haute énergie, comme ceux décrits sur les lignes telluriques de Michel en Europe. Il existe beaucoup de lieux puissants dans le monde dans lesquels vous allez ressentir des dragons particuliers, plus ou moins puissants selon les régions. Vous n'avez pourtant pas besoin de voyager autour du monde pour expérimenter votre connexion avec les dragons. Où que vous soyez, ils attendent de vous rencontrer et ils viendront vers vous.

Pour savoir beaucoup plus et les réponses aux plusieurs questions, il y a une compilation de vidéos sur ma chaine YouTube avec une 'playlist' spécifique pour les Dragons. (Tout en anglais).

Remerciements

Merci à Padma d'avoir facilité le réveil du magnifique dragon que je suis et de me l'avoir remémoré. Sans cela, aucune de ces informations enterrées depuis si longtemps n'aurait pu refaire surface et donc être partagée avec le monde entier. Je lui suis également éternellement reconnaissante de m'avoir aidé à enraciner ce projet, de m'avoir poussé à voir plus loin et à le publier, et par dessus tout, de m'avoir supporté dans mon processus personnel tout au long de ce travail.

Merci à mes parents pour leur soutien constant et inconditionnel dans les hauts et les bas de mon voyage, ainsi qu'à mes amies qui m'ont écouté et supporté sans poser de question – Bev, Gail, Carol – ce qui m'a permis de plonger encore plus profondément dans cette aventure.

Merci à mes sœurs pour les soins aimants que vous avez prodigués à mes amis poilus pendant mes longues absences durant la création de ce travail.

Merci Angie (TiMonRa) et Whitney (AnRa) pour l'incroyable conscience du travail artistique effectué pour le dessin de couverture et la création des symboles.

Merci à Rachel pour avoir traduit cet œuvre si parfaitement, si gracieusement et avec si tant d'amour!

Merci à Solara et à son travail qui a permis le commencement de ce réveil en moi.

Plus encore, je dois remercier les Dragons d'avoir partagé leurs connaissances, leur amour et leurs secrets avec moi... en moi, autrement aucune information ne serait là.

À Propos de l'Auteur

Bonjour. Mon nom est Araya AnRa. Comme vous, je suis plusieurs choses… sur une base quotidienne, je porte plusieurs chapeaux, amie, mère, soeur, enseignante, étudiante, employée, propriétaire d'entreprise, guérisseur… mais chacune de ceux-ci sont seulement un très petit aspect de la trame tangible de Mère/Père Dieu que chacun de nous est. Nous sommes tellement plus!!

J'ai échoué plusieurs fois. J'ai été mise en miettes plusieurs fois. Chaque fois, à l'aube d'une guérison, je me trouve élevée de nouveau comme un phoenix; chaque fois j'ai pu renaître à un aspect plus élevé de moi-même; un pas plus près de connaître et d'accomplir la perspective Divine de qui je Suis réellement. À chaque étape dans un abandon complet et ayant à coeur de me développer, ma connection avec toute chose c'est élargie au-delà du plan physique. Une clareté soudaine s'installe face à la prochaine étape, au véritable élément sous-jacent et me guide vers les êtres ou les lieux vers qui je dois m'orienter pour assistance. Nous détenons tous des éléments de réponse pour les autres. La parfaite Loi de l'attraction de Dieu nous amène les miroirs parfaits pour nos prises de consciences (aussi frustrant et affreux qu'ils puissent sembler). SI nous sommes disposé à regarder plus profondément à l'intérieur d'eux, la guérison et la transformation peuvent se produire.

Ma véritable ouverture a débuté en 2002. Une voix intérieur m'a guider à quitter mon emploi et prendre un temps pour faire une introspection. J'étais terrifiée, j'avais un hypothèque et une foule d'animaux de compagnie à nourrir, et aucun indice sur comment j'allais réussir à payer les factures. Ce fut la période la plus transformative que je peux identifier comme le début de mon voyage d'éveil. C'est dans l'isolement d'un froid et neigeux hiver du Wyoming que j'ai repris contact avec mon Être en tant que guérisseur. C'était comme si je me souvenais de choses que je s'avais faire bien longtemps avant de naître dans ce corps.

Exactement 9 ans plus tôt, j'avais appris à méditer dans un monastère Boudiste du Sud de la Thaïlande et depuis reléguer ceci sur l'étagère. Maintenant, la méditation deviendrai l'accès pour connaître mes guides et ma futur liberté. Quel puissant outil dans un coffre à outils! Cette expérience de l'apprentissage de l'art de la méditation a été un virage à 180 degrés que j'ai eu à prendre comme plusieurs autres depuis cette période. J'ai commencé à enseigner et partager la méditation en février 2003, pour un cycle complet de 9 ans plus tard, encouragée par la guidance reçu pendant ma pratique personnel et en m'abandonnant à cette voix intérieur de l'Esprit qui tentais de m'aligner au plan de mon Âme.

Même avec ces nouveaux outils en main, en 2012, je me suis retrouvée en pièces de nouveau. J'ai senti que ma vie explosait encore, après que tout soit finalement tombée bien en place là où je vivais mon rêve, co-enseignant des atelier et donnant des session partout en Europe. J'ai perdu mon mariage, mon travail, ma confiance en moi... et me suis retrouvé de nouveau à Reno, parce que c'est d'où vient ma famille' Un sentiment d'un échec complet m'habitait, je me sentais complètement perdu, et je devais tenter de contenir cette situation pour mon jeune fils de 3 ans.

Nous pouvons prendre une route plus lente. Ou nous pouvons être lancé vers l'avant. Ces deux cheminements sont appropriés à différentes phases de notre voyage. Il m'a prit 4 ans de travail intérieur pour me remettre et me guérir de cette explosion. C'est minuscule lorsqu'on apprécie ceci dans la perspective plus grande de notre voyage vers l'Amour. Par la suite, je peux sentir de nouveau mes guides taper sur mon épaule et me dire, "C'est le temps. Il est temps d'avancer à nouveau".

Alors j'ai recommencé à écouter et faire confiance. Avec les articulations des deux pouces donnant des signes de pré-arthrite, je me suis engagée dans un programme de certification en réflexologie. Après dix session de travaux pratiques, la raison est devenus clair comme le cristal.

J'ai compris que tout mon travail en énergie et mes dons psychiques qui avaient été placés à l'écart pendant quelques années, commençaient à se dérouler et créer des liens au travail physique qui se déroulait avec la personne sur la table. J'ai compris ce nouveau magnifique paradigme du grand tout: être guéri et transformé tout à la fois. Et j'ai découvert ma connection à l'invisible plus forte et plus claire que jamais, en tant que l'énergie qui circulait à travers moi, et mon désir d'être au service de la croissance des autres beaucoup plus fort aussi.

Depuis ce moment, cette circulation a été en movement tel la rivière Truckee à la crue du printemps. Des clients des séances à distance continuaient à me trouver via mon ancien site web, mes nouveaux clients en reflexologie vivaient de grandes transformations sous mes yeux et, comme il arrive souvent lorsque nous sommes dans cette connection avec le grand tout, les synchronicités s'alignaient pour me guider vers la prochaine étape, puis la suivante et la suivante encore. De cette élan est né Invoke Healing International. Ma petite vision allait devenir beaucoup plus grande que je l'avais anticipé. Et maintenant, elle ne fait que continué de grandir via ma communauté Facebook et le bouche à oreille.

Alors, qui suis-je? Premièrement et avant toute chose, je suis une enfant de Père/Mère Dieu dans un voyage vers la Maison.

Mon expression personnelle de Dieu est un guérisseur, un messager du changement, un catalyseur et un (créateur de) pont qui permet le retrait des blocages et la découverte de la Vérité véritable pour chaque âme qui se sent prête à faire ce plongeon.

Araya est certifiée voyante, médium, canal de communication avec les anges, et guériseur par l'énergie par l'American Federation of Certified Psychic Mediums et une praticienne certifiée en reflexologie par l'Universal College of Reflexology. Elle est aussi affectueusement connue par certain comme "The Dragon Lady", pour sa relation unique avec les Dragons qui lui permet de guider les autres qui font l'expérience des Dragons à les comprendre, entrer en connection avec eux et être guéri par eux.

C'est en septembre 2007, après avoir assisté à un atelier à Kona, Hawaii et où elle a activé sa connection avec sont propre Coeur de Dragon qu'elle s'est retrouvé guidée vers Glastonbury. Là, elle s'est vu capable de faire émerger ce formidable guide pour le travail avec les Dragons - Le dragon intérieur – lequel a facilité de nouveaux niveaux d'ouverture pour tous ses lecteurs.

Pistes du CD
"LA RESPIRATION DES DRAGONS"

1. Le Dragon de la Terre
2. Le Dragon de l'Air
3. Le Dragon du Feu
4. Le Dragon de l'Eau
5. Les Dragons Elémentaux
6. Le Dragon Noir
7. Le Dragon Blanc
8. La fusion des Dragons Noir et Blanc
9. Le Dragon de Cristal
10. Le Dragon d'Or
11. Le Dragon d'Argent
12. Le Dragon de Cuivre
13. Ee RiaNNa Hum Na Ay (Ii RiaNNa Houm Na Hé)

Afin de télécharger votre copie des pistes mp3 du CD, veuillez cliquer ici: http://dragonwithin.com/respirationdragonscd

Milton Keynes UK
Ingram Content Group UK Ltd.
UKHW020850111124
451035UK00011B/889